萌える！ギリシャ神話の女神事典

オリュンポス十二神
Dōdekatheon

- ヘラ ……………………… 22
- アテナ …………………… 28
- アルテミス ……………… 32
- デメテル&ペルセポネ …… 36
- ヘスティア ……………… 40
- アプロディテ …………… 44

オリュンポス神族
Olympuses

- モイラ …………………… 50
- ヘベ ……………………… 54
- アストライア …………… 56
- カリス …………………… 58
- ムサ ……………………… 62
- ホラ ……………………… 66
- パラス …………………… 70
- ヒュギエイア …………… 72
- パンドラ&エルピス ……… 74
- ハルモニア ……………… 76
- クロリス ………………… 78
- ヘルマプロディトス …… 80

contents

原初の神
Primordial deities

- ガイア ... 84
- ニュクス ... 88
- ヘメラ ... 90
- ネメシス ... 92
- ピロテス&アパテ ... 94
- エリス&デュスノミア&アテ ... 96
- ベア ... 100

ティタン神族
Titans

- レア ... 104
- テミス ... 106
- メティス ... 108
- エリニュス ... 110
- ポイベ ... 114
- ディオネ ... 116
- テテュス ... 118
- ステュクス ... 120
- テュケ ... 122
- ニケ ... 124
- イリス ... 126
- セレネ ... 128
- エオス ... 130
- アムピトリテ ... 132
- レト ... 134
- プレイオネ ... 138
- ヘカテ ... 142

案内役のご紹介！

読者のみなさんをギリシャ神話の世界に招待する、3人と1個の案内役をご紹介！

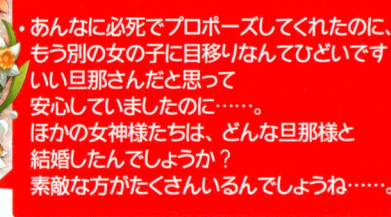

・あんなに必死でプロポーズしてくれたのに、もう別の女の子に目移りなんてひどいです！
いい旦那さんだと思って
安心していましたのに……。
ほかの女神様たちは、どんな旦那様と
結婚したんでしょうか？
素敵な方がたくさんいるんでしょうね……。

ペルセポネ

最高神ゼウスの娘で、若くして死者の住む地下世界「冥界」の女王をつとめる美少女。花のようにはかない雰囲気で、女の子を守ってあげたい男子に大人気である。冥界神ハデスと結婚したばかりの新婚さんだが、夫ハデスの失敗により、はじめての別居生活を体験中。

こんにちは〜、メティスといいます〜。
今日は若い子たちが
素敵なレディになれるようにですね〜、
りっぱな女神様たちを教材に、
賢さとしたたかさを身につけられるよう、
いろいろ教えたいと思います〜♪

メティス

知恵と水を守護する、高位の女神様。最高神ゼウスの奥様で、普段はゼウスの頭のなかで過ごしているが、外出するときは特別製の乗り物を使う。なおメティス様の外出中、オリュンポス山の山頂では、妙に表情がとぼしく、しゃべりがカタコトになったゼウスがあらわれるという噂が……。

今度という今度は我慢できませんわ！
いつまでもあのお父様につきあっていたら、
恋人のコの字も
見えなくなってしまいますもの。
パンドラは、自由と恋人を
手に入れる旅に出るのですわっ！

パンドラ＆箱さん

鍛冶神ヘパイストスの娘で、神様にも人間にもモテモテの美少女。音楽が大好きで、恋にあこがれる乙女だが、父親ヘパイストスの妨害のせいで素敵な男性には巡り会えていない。目標は大人になるまえに初恋の人と巡り会うこと。
ちなみに足下にいる謎の箱は、神様からもらったパンドラのペット兼知恵袋係。本当はピュクシスというカッコいい名前があるのだが、パンドラが「箱さん」としか呼ばないので、当人も名前を忘れているフシがある。

男の子と話したいから家を出るって、
パンドラはんむちゃくちゃなことしはるな～、
まあ、こういうときのためにわてがついてるんやから、心配はいりまへんでー。
おうちに帰りとうなるまで、しっかり護衛役しますよって。

ゲストのみなさんをご紹介！

ゼウス
メティス先生の旦那様で、ギリシャ神話の最高神。美女や美少女に目がない。

ヘパイストス
ゼウスの息子で、パンドラの過保護なお父様。気むずかしいが職人としての腕は超一流。

ハデス
死者が行く地下世界「冥界」を支配する地下の王。ペルセポネの旦那様だが現在別居中。

9ページから、この3人＋1箱の冒険、はじまりはじまり！

ギリシャ男にご用心!

この姿でははじめまして〜。
わたしはですねぇ、知恵の女神メティスといいますよ〜。
若い女の子がふたりっきりで、何をしに行くのかしら〜?

はじめましてメティス様、わたくしはヘパイストスの娘パンドラですわ。
過保護な父から離れて、素敵な男性を見つけるのが旅の目的ですの♪

ペルセポネです、先日から冥界で女王をさせていただいています。
旅の目的は、ほかの女神様に、旦那様のことを聞きたくて。
うちのハデス様が私に飽きたんじゃないかと不安なんです。

なるほど〜、そういうことでしたか〜、それは無防備すぎますね〜。
男性に不満を持っている美少女なんて、甘い言葉でつけこまれて、人気のないところでイケナイことをされてしまいますよ〜?

ええっ!?
いくらなんでもそんなにひどいことは……。

ペルセポネさん、考えが甘いですよ〜、神酒ネクタルよりも甘いです〜。
ギリシャの男たちは、基本的に「サイテー男」ばっかりなのですよ〜。

そんなこといっても、じゃあどうすればいいんですの?
あぶないからって男性と接触を避けていたら、恋愛なんて絶対にできませんわ!

はい〜、そのとおりですよ〜、怖がっているだけじゃいけません〜。
立派な女神として世の中に出るためには、男たちを手玉にとれるくらい、賢くてしたたかな女神にならないといけませんよ〜。

なるほどー!
それならばよくわかりますわ、なんといっても恋は戦い、かけひきだと、音楽の女神様たちも歌っていらっしゃいましたもの♪

賢く、したたかに……。
私が今より賢い女神になれば、ハデス様も振り向いてくださるでしょうか?

はい、やる気になってきましたね〜、とてもいい傾向ですよ〜。
男たちを手玉にとれる、したたかな女神になるためには、まずは世界のことをよく知っておきましょう。さっそく授業のはじまりです〜♪

はじめに

　世界中に存在する神話のなかで、もっとも多くの外国人に知られている神話はどれか？　キリスト教など、現在でも信仰されている宗教の神話をのぞけば、その答えはおそらく「ギリシャ神話」となるでしょう。
　ギリシャ神話はヨーロッパ最古の神話のひとつで、もっとも洗練された物語集です。個性豊かな神々と、英雄や女性が織りなす物語は、ヨーロッパの文化的支柱となり、多くの芸術家がこの神話を題材に作品を作っています。
　そしてギリシャ神話は、現代のわれわれの暮らしにも影響を与えています。星占いでおなじみの「星座」や、日曜日から土曜日までの「曜日」の習慣の一部は、ギリシャ神話に由来するものなのです。

　ギリシャ神話の特徴は、この神話が複数の神を持つ「多神教」の神話であり、多くの「女神」が登場することです。ギリシャ神話の女神は、人間がおよびもつかないほど美しく、プライドが高いのが特徴です。清楚な女神に淫らな女神。軍人の女神に母親のような女神、多彩な女神様が物語を彩ります。

　この「萌える！ギリシャ神話の女神事典」では、そんな「ギリシャ神話の女神」にスポットライトを当て、42組の女神を素敵なイラストつきで紹介。さらに解説ページでは、カラーページで紹介しきれなかった女神、女性の精霊であるニンフ、神話で活躍した女性たちなどを収録し、紹介した女性たちは合計135名にのぼります。
　イラストはどれも、ギリシャ神話の記述を参考に、担当イラストレーターが独自の解釈を加えてデザインしたものです。今まで知らなかった女神からは新鮮な魅力が、有名な女神には新たな魅力が見つかることでしょう。

　女神が彩るギリシャ神話世界の入り口に、本書が役立てば幸いです。

凡例と注意点

凡例
　本文内で特殊なカッコが使われている場合、以下のような意味を持ちます。
・「　」……原典となっている資料の名前
・《　》……原典を解説している資料の名前

長音記号の表記について
　古代ギリシャ語の単語を日本語で表記する場合、古代ギリシャ語の発音にしたがって、伸ばす音をすべて長音記号「ー」で表記する表記法と、長音記号をすべて省略する表記法があります。
　本書では、非常にわかりにくくなるなどの特別な理由がないかぎり、長音記号を省略するかの表記法で固有名詞を紹介します。そのため、皆さんが知っているものと違った形で、神名や人名が紹介されることがあります。

萌える！ギリシャ神話の女神事典　目次

案内役のご紹介！……6
はじめに……9
ギリシャ神話って何だ?……12

オリュンポス十二神……19
オリュンポス神族……47
原初の神……83
ティタン神族……103

女神、ニンフ小事典……145
ギリシャ神話の女神小事典……146
ギリシャの精霊ニンフ小事典……152
メティス先生の！ギリシャ神話講座……159
メティス先生の！ギリシャ神話ってなんだ？　〜初級編〜……160
ギリシャ神話の特徴……162
ギリシャ神話ダイジェスト……164
神と人間のギリシャ神話……172
誰が書いたの？ギリシャ神話……178
はじめてのギリシャ神話おすすめ物語……180
ギリシャ神話を彩る女たち……181

Column

ヘラ様の男神品定め　雷神ゼウス……26
　　　　　　　　　　　海神ポセイドン……31
　　　　　　　　　　　太陽神アポロン……35
　　　　　　　　　　　戦神アレス……43
　　　　　　　　　　　伝令神ヘルメス……61
　　　　　　　　　　　鍛冶神ヘパイストス……69
　　　　　　　　　　　冥界神ハデス……82
　　　　　　　　　　　狂神ディオニュソス……99

ギリシャ星座のできるまで……102
こんなに似てる！ギリシャ神話と日本神話……113
ギリシャの男神、精霊紹介……136
ニンフってなんだ？……151
モンスターな女たち……158

ギリシャ神話って何?
About Greek Mythology

それではですね〜、
先輩の女神様に会う前に、
このギリシャ神話の世界がどんな世界なのか、
そして女神とはどんな存在なのかを
勉強することにしましょう〜。

ギリシャ神話って何だ？
～基礎編～

女神にふさわしい女子力を身につけるには、なにがいちばん大事だと思いますか～？
それを知るためにも、まずは私たち自身が住む世の中を知ることが、とってもと～っても大事ですよ～。

自分たちが住む世の中……つまり、ギリシャ神話のことですね？

そのとおりですよ～。
口先だけのダメ男にだまされないために、まずはしっかりものの賢い女神になるところからはじめましょうね～♪

ギリシャ神話ってどんな神話?

　ギリシャ神話は、その名のとおり、ヨーロッパのギリシャ地方で、ギリシャ人の手によって古くから語り継がれてきた神話です。最高神である雷神ゼウスを筆頭に、多くの神々が登場します。

　ギリシャ地方は、ヨーロッパでもっとも古くから文明が栄えた地方でした。そのためギリシャ神話やその物語は、ヨーロッパ文化の土台として、現代にもはっきりと残されています。例えば星占いで有名な黄道十二星座の物語は、すべてギリシャ神話の物語なのです。

ギリシャ人が、
ギリシャで生み出して、
ギリシャで育てた神話ですわ！

Where? どこ？ ギリシャってどこにあるの？

ギリシャ神話が語り継がれていた地、ギリシャが、世界のどこにあるか知っていますか？

ギリシャはヨーロッパの南東の果て、地中海に突き出した半島部にあります。対岸にはトルコがあり、まさにヨーロッパとアジアの境目と言って過言ではありません。

至ドイツ
イタリア
ギリシャ
トルコ
地中海
クレタ島
至エジプト

When? いつ？ いつごろできた神話なの？

ギリシャ神話には約4000年の歴史があります。今から約4000年前、紀元前20世紀ごろに、ギリシャ南方のクレタ島で「クレタ文明」という文明が生まれました。クレタ人は今のギリシャ神話に登場する神の原型となる神を信仰し、独自の神話を生み出していたのです。その後、文明はギリシャ本土にも広がり、新しい神と神話が次々と作られていきました。現在の神の名前や姿が固まったのは、紀元前8世紀、約2800年ほど昔のことです。

ギリシャ神話の神って何者?

　現在のヨーロッパでは、唯一神ヤハウェのみを神として信仰し、それ以外の神の存在を認めない「キリスト教」が最大の宗教勢力となっていますが、ギリシャ神話はこれと違って、無数の神が同時に存在する「多神教」の世界観を持ちます。

　ギリシャ神話は、多数の神と人間が活躍する物語です。それでは、神とは一体どのような存在なのでしょうか?

不老不死の肉体を持つ存在

　ギリシャ神話の神の特徴は、その強力な「不老不死性」です。神々は年月によって老いることがなく、寿命によって死ぬこともありません。さらに「どれだけ傷つけられても死なない」という、完全な不死性を有しています。

　そのためギリシャ神話の神々の争いは、おたがいを殺すことができないため、交渉で降伏条件を決めたり、相手をどこかに閉じ込める形で決着します。

神様も神様を殺すことができない神話って、えらい珍しいですわ。
たいていの神話で、神様は老化はしまへんけど、べつの神様の攻撃で致命傷を受けたら、普通に死んでしまうもんばっかりですし。

世界のはじめにあらわれた

　神は、ギリシャ神話の世界に最初に出現した知的存在です。

　かつて世界には、何もない空間「カオス(混沌)」のみが存在していました。そこから生まれ出た大地母神ガイア(➡p86)が、あるときは単独で、あるときは自分が産んだ息子と結婚して子供を作ります。こうしてガイアの子孫は世代を重ね、ギリシャ神話に登場するほとんどの神の祖先となりました。

実は私たち神だけでなく、人間のみなさんもガイア様から生まれたのだそうです。神と人間は意外と近い存在なのですね。

英雄、精霊、怪物も！

ギリシャ神話の種族は、神と人間だけじゃありませんよ〜？ほかにも精霊、英雄という種族、そして怪物が登場します〜。

精霊はニンフ、ニュンペなどと呼ばれます。下級の神のような存在ですが、神と違って不死の力はありませんね〜。

英雄とは、人間と神の混血児のことです〜。神の血が入っていますから、普通の人間より優秀なことが多くて、よく物語の主役になるんです〜。実は英語の"Hero"は、古代ギリシャ語で人間と神の混血児を意味する単語 Heros（ヘロス）の英語読みなんですよ〜。

神々の3つの"世代"

ギリシャ神話の神々は、生まれた時期や血縁関係によって、右の3種類のグループに分類されます。上のほうが古い神々、下のほうが新しく生まれた神々です。

3つの世代の特徴と生まれた時期

原初の神々

原初の混沌（カオス）から生まれた、闇の女神ニュクスと大地母神ガイア、そしてその子供たちです。

ティタン神族

大地母神ガイアと、その息子である天空神ウラノスが結婚して産んだ子供たちと、その子孫をこう呼びます。

オリュンポス神族

ティタン神族のリーダー「農耕神クロノス」の息子である雷神ゼウスと、その兄弟を中心にした神の一族です。

つまり、原初の神サマが親世代、ティタンが「子」世代、オリュンポスが「孫」世代ってことね！

ところで、わたしたちはどのグループに含まれるんでしょうか？

ペルセポネはんはゼウス様の姉、デメテル様の娘やから、オリュンポス神族ですわ。パンドラはんもゼウス様の孫やからオリュンポスや。問題はメティスはんなんやけど……。

はい〜、メティスさんはクロノス君のお姉ちゃんなので、血筋的には完全にティタンなんだけど……ゼウス様のお嫁さんでもあるから、オリュンポスの一員ともいえるんですよね〜。難しいところです〜。

What? どんな？

ギリシャ神話はどんな話？

　ギリシャ神話は、それぞれ主人公が違う、断片的な物語の集合体です。それぞれの神話は、作られた時代も場所もバラバラなので、一貫した設定は存在しません。
　ですが、この世界が生まれてから、最高神であるゼウスが現在の地位に就くまでの神話は、比較的矛盾が少なく、一貫性のある内容が語られています。そのあらすじは以下のとおりです。

ギリシャ神話の世界ができるまで

①世界の誕生

原初の混沌カオスしかなかった世界から生まれた大地母神ガイアが、天空、山、海を産み落とし、世界の形が定まります。

②ウラノス～クロノスの支配

初期の最高神は天空神ウラノスでしたが、醜い息子を虐待したためガイアに嫌われ、ガイアに支援された息子クロノスに追放されます。

③ゼウスの反乱

クロノスも子供を虐待したため、その妻レアはガイアと共謀し、息子ゼウスに反乱を起こさせて最高神の地位を剥奪しました。

④神々の戦争

ゼウスたちオリュンポス神族は、ゼウスたちの支配に納得しない神の一族と、2回に渡って大戦争を繰り広げ、勝利しました。

ゼウス様を頂点とするギリシャ神話の世界は、こうやってできたんですね！

ギリシャ神話の「現代」へ！

ギリシャ神話の弟分"ローマ神話"とは?

ギリシャ神話の神様たちは、おとなりの国ローマでも、名前を変えて信仰されとるんや。ギリシャ神話の神様を知るには、ローマ神話のことも知っておいたほうがええで!

ローマ神話はローマ人の神話

現代のイタリア共和国の首都でもあるローマは、ギリシャの西にあるイタリア半島の中部西岸にある都市です。この都市はヨーロッパと北アフリカを支配する大帝国「ローマ帝国」の首都として栄えました。

その後のヨーロッパの人々は、古代ローマ帝国を「見習うべきお手本」として尊敬していました。

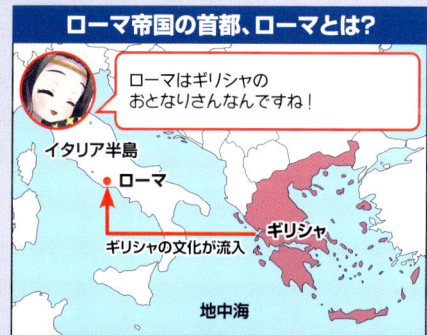

ローマ帝国の首都、ローマとは?

ローマはギリシャのおとなりさんなんですね!

イタリア半島　ローマ　ギリシャの文化が流入　ギリシャ　地中海

ローマ神話はギリシャ神話の模倣品

ローマがまだローマ1都市だけを支配する都市国家だったころから、ローマ人は独自の神を信仰していましたが、固有の神話は持っていませんでした。

のちにローマ人たちは、当時のヨーロッパにおける文化先進地域だったギリシャの神話を知り、その物語を、ローマにおいて同じような役割を持つ神の神話として、登場人物や神の名前だけを入れ替えてそのまま使用したのです。

ギリシャ神話とローマ神話の神の対応表

ギリシャ	ローマ	英語
ゼウス ➡	ユピテル ➡	ジュピター
アテナ ➡	ミネルウァ ➡	ミナーヴァ
アプロディテ ➡	ウェヌス ➡	ヴィーナス
アルテミス ➡	ディアナ ➡	ダイアナ
ヘルメス ➡	メルクリウス ➡	マーキュリー

ギリシャ神話が今でもヨーロッパで有名なのは、世界帝国だった「ローマ帝国」が、ギリシャ神話と同じ神様を信仰していたからなんですよ〜。

ですから女神の紹介をするときも、どの女神のローマ神話での名前や扱いを一緒に説明しますからね〜。

この本の読み方

ギリシャ神話とはなんなのか、わかりましたか～？
なんとなくでもわかったら、さっそくギリシャを代表する女神のみなさんに会いに行きますよ。女神様のデータは、こんなふうに読んでくださいね～。

データ欄の見かた

浮気の罰は旦那じゃなくて相手にね
ヘラ
長音表記：ヘーラー　ローマ名：ユノ　英語名：ジュノー

女神の名前（長音省略表記）

データ欄

データ欄に書かれている情報は以下のとおりです。

長音表記：長音記号をすべて表記したときの名前です。表記は古代ギリシャ語本来の読みに近いものです。
ローマ名：ローマ帝国での呼び名です。ローマの公用語、ラテン語での読みとなります。
英　語　名：女神に特別な英語名がある場合、それを表記します。
別　　　名：女神に特に重要な別名がある場合、それを表記します。

解説文の最後に、なにか囲みがついているものがありますわ。
メティス先生、コレは何なんですか？

それはですね～、女神様の「古代ローマ」での活躍ぶりについて書いたものですよ～。
外見とか特徴とか、ギリシャ神話との違いが大きい女神様は、ここでその違いを説明しちゃいます～。

そういえばローマの神様って、ギリシャ神話の神様とよく似ていても、似ているだけの別人なのですよね。
別人ならではの違いが説明されてる、ということでしょうか。

19ページから、42組の女神様に会いに行こう！

オリュンポス十二神
Dōdekatheon

　ギリシャ神話では、最高神ゼウスとともに世界を支配する神々のことを、オリュンポス十二神と呼んでいます。十二神のメンバーはゼウスの血縁者で固められており、ゼウスの姉や娘、親族など、6柱の女神がオリュンポス十二神に名を連ねています。

illustrated by 皐月メイ

アテナ

ギリシャ神話の主人公！オリュンポス十二神

ギリシャ神話のいちばんえらい神様は、ゼウス様ですよね。
それじゃあ次にえらい神様はどなたなのかしら？
……オリュンポス十二神？　なんでしょう、それは？

ギリシャでいちばん偉い神様

　ギリシャ神話の最高神はゼウスです。しかし、ギリシャ神話の世界は、ゼウスひとりの力で統治されているわけではありません。ゼウスに準ずる強大な力を持ち、ゼウスの統治に協力している神々が、ゼウス以外にも11柱いるのです。

　この11柱にゼウス本人を加えた、合計12柱の神々は、古代ギリシャ語で「ドデカテオン」、日本語訳で「オリュンポス十二神」と呼ばれています。

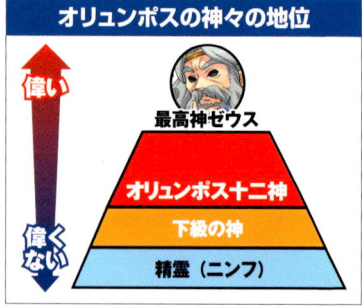

オリュンポスの神々の地位

偉い ↑　最高神ゼウス
偉くない ↓　オリュンポス十二神
　　　　　　下級の神
　　　　　　精霊（ニンフ）

どんな神がいるの？

　オリュンポス十二神のうち5柱は、ゼウス本人とその兄弟でしめられています。残り7柱のうち6柱は、ゼウスの子供たちです。残りの1柱であるアプロディテも、ゼウスの養女として迎えられた存在です。つまりオリュンポス十二神とは、強大な力を持った**ゼウスの家族**たちなのです。

右のページで紹介しているのが、いちばん有名な「オリュンポス十二神」のリストなんですよ〜。メンバーは時代によって若干違うんです〜。酒の神のディオニュソス君が入ったり、ハデス君やペルセポネちゃんが入ることもありますよ〜。

オリュンポス十二神の一覧

名　前	神の属性	解　説
ゼウス	天空 雷 運命の執行者	ギリシャ神話の最高神。最強の武器「雷霆」を保有し、戦闘力も最強。美しい女性に目がなく、見境いなく手を出す。（➡p26）
ヘラ	結婚 出産 家庭	結婚、出産、家庭という、成人女性の人生のすべてを守護する女神。ゼウスの正妻としてすべての女神の頂点に立つ。（➡p22）
アテナ	知恵と技術 防衛戦争	ゼウスの頭部から生まれた娘。かたや知恵と技術、かたや防衛戦争という、文武両面を守護する万能の女神である。（➡p28）
アポロン	太陽 弓 医療	ゼウスの息子で、弓の達人にして医療の神。後世になると「太陽神」の属性が追加された。（➡p35）
アプロディテ	愛 美	海の泡から生まれたという愛と美の女神。異性を魅了する魔法の腰帯を持ち、多くの愛人を抱える。（➡p44）
アレス	戦争 殺戮	最高神ゼウスと正妻ヘラのあいだに生まれた息子。性格は乱暴かつ荒くれ者で、神々からけむたがられている。（➡p43）
アルテミス	月 狩猟 女子供の守護者	アポロンの双子の姉。野山を駆ける獣たちの守護者で、狩猟の女神でもある。後世、月の女神の属性を与えられた。（➡p32）
デメテル	農耕 穀物	ゼウスの姉で、穀物と農業の女神。大地に植物が実るのは彼女のおかげで、彼女が仕事をおこたると世界は冬となる。（➡p36）
ヘパイストス	炎 鍛冶	最高神ゼウスと正妻ヘラのあいだに生まれた長男。両足に障害があり醜い外見。神々の武器や装飾品の製作者。（➡p69）
ヘルメス	旅 商業 神々の伝令	ゼウスの子供で、身軽さと賢さが特徴。神々の伝令役として、ほかの神や人間にメッセージを伝える。（➡p61）
ポセイドン	海 馬 地震	ゼウスの兄で、世界の海を統治する海の王。水を自在にあやつる三叉矛「トリアイナ」を持つことで有名。（➡p31）
ヘスティア	炎 家庭 かまど	ゼウスたち兄弟の長女。属性はヘラと似ているが、彼女は家の中だけを守護する女神で、神話にはほとんど登場しない。（➡p40）

オリュンポス十二神

浮気の罰は旦那じゃなくて相手にね
ヘラ

長音表記：ヘーラー　ローマ名：ユノ　英語名：ジュノー

女性を守る、神々の女王

　ギリシャ神話の最高神「ゼウス」の正妻であるヘラは、結婚と出産、家庭などを守護する、女性の守護神だ。彼女は丈の長い衣服のうえにヴェールをまとい、頭には王冠をかぶっている。さらに、右手には最高神の妻という権威をあらわす王笏、左手に多産を意味するザクロの実を持った姿で描かれることが多い。神々すらも夢中にする神界きっての美女である。

　かつて最高神ゼウスの父親クロノス（➡p137）がまだ最高神の位についていたころ、ゼウスは自分の兄弟たちを率いて父クロノスを打倒したが、そのときヘラは、クロノスとゼウスの戦争で中立を保っていたティタン神

ユピテル（ゼウス）に抱き寄せられるユノ（ヘラ）。16世紀イタリアの画家アンニバーレ・カラッツィ画。

族の海神オケアノス（➡p136）とその妻テテュス（➡p118）のもとにかくまわれていた。ヘラの美しさを知ったゼウスはすでにテミス（➡p108）という妻と結婚していたが、美しいヘラに熱心に求婚した。ヘラはゼウスの求婚に対して「自分を正妻として扱うのなら求婚を受け入れる」と答え、ゼウスは要求どおりヘラを正妻にしている。

　この経緯を見ると、プライドの高いヘラと先妻テミスのあいだに軋轢が生じそうに思えるが、神話にはそのような記述はない。後世の解釈では、テミスが正妻ヘラを立てて慎ましく振る舞ったので、両者の仲は良好だったと考えられている。

ヘラの嫉妬

　ギリシャ神話の男性は総じて女性にだらしがないが、もっともひどいのは間違いなく最高神ゼウスである。彼はヘラを正妻にしたあとも女性への欲望を抑えることがなく、あちこちで神や美女に求愛しては子供を産ませている。

　ゼウスの正妻としてヘラが夫の行為を容認できないのは当然のことだが、ここで問題になってくるのが、ヘラが「結婚という契約の守護神」であることだ。夫の子供を産むのは妻の正統な権利であるから、夫が浮気をして外で子供を作った場合、結婚契約の守護神ヘラの怒りは、浮気をした夫ではなく、むしろ妻の正統な権利を侵害した浮気相手とその子供に行くのである。

　そのためギリシャ神話におけるヘラは、ゼウスに見初められたヒロイン（ヘラ視点では浮気相手）を徹底的に攻撃する、まるで悪役のような立場になっている。その攻

illustrated by はんぺん

撃は容赦なく、生まれた子供を八つ裂きにして巨人に食わせたり、陣痛の痛みを9日9晩続けて味あわせたり、相手を獣に変えたり……しかもこれらはあくまで一例にすぎないというから恐ろしい。

ヘラの宿敵：英雄ヘラクレス

　ヘラはゼウスの浮気相手とその子供に激しい憎しみを燃やすが、これを何度もはねのけて名声と栄光を手に入れた因縁深い英雄がいる。それがギリシャ神話最強の英雄とされるヘラクレスだ。彼の本名はアルカイオスというが、神託を受けた巫女が彼のことを「ヘラクレス（ヘラの栄光）」と呼んだことが改名のきっかけである。ヘラの宿敵がヘラの栄光を名乗るのは、なんとも皮肉が効いている。

　ヘラはゼウスが浮気で産まれたヘラクレスをお気に入りにしていることを憎んでおり、ヘラクレスの生涯にわたって彼を攻撃し続けた。母親のアルクメネがヘラクレスを出産しようとしたとき、ヘラは部下である出産の女神エイレイテュイア（➡p147）に命じてヘラクレスが生まれないようにした。だが不測の事態が起きて出産は成功してしまう。さらにゼウスは、寝ているヘラの母乳をヘラクレスに飲ませ、強大な力を与えようと画策する。だがヘラクレスの吸う力があまりに強いため、痛みを感じたヘラがヘラクレスを振り払った。このとき飛び散った母乳は天空で"天の川"となったのだ。天の川を英語でミルキーウェイと呼ぶのは、これがヘラの母乳だと考えられていたからである。

ユノ：ローマ神話のヘラ

　イタリア半島で信仰されていたローマ神話では、ギリシャの女神ヘラを、ローマ神話古来の出産と月の女神「ユノ」と合体させ、新しい女神「ユノ」として信仰していた。女神ユノの名前は、今でもさまざまな場所に受け継がれている。

　有名なのは、英語で6月をあらわす言葉「June」だ。これはローマで、6月がユノの月だったことに由来する。6月の花嫁が幸せになれるという伝承が生まれたのは、6月が結婚の女神ユノの月であるからだといわれている。

　また、現代の生活に欠かせない「お金」にもユノの痕跡がある。ヘラと合体した後のユノは、ゼウス（ローマ名ユピテル）の浮気をすぐに察知することからわかるとおり、偵察能力に優れた神だと解釈されていたため、外敵の侵入を知らせる神「ユノ・モネータ」としても信仰された。ローマ人はユノに感謝し、彼女の神殿で貨幣を造ったという。現代の英語でお金をあらわす「money」という単語は、ユノ・モネータの「moneta」が由来である。

ヘラクレス君とヘラ様の抗争は、ヘラクレス君が死ぬまで続きました～。ただ、彼が死んで神になったあと54ページで紹介しているヘラ様の娘へべちゃんと結婚したので、ヘラ様も矛先をおさめてますね～。

メティス様が教える！ギリシャの神の不死身のヒミツ

ギリシャ神話の神様はですね〜、世界の神話でもわりとめずらしい、完全な不老不死なんですよ〜。実は神様が不老不死なのは、「ネクタル」っていう飲み物を飲んで、「アムブロシア」っていう食べ物を食べてるからなんですよ〜。

神酒ネクタル

　ネクタルは神々が飲む酒で、ワインのように赤く、蜜のように甘い飲み物である。飲んだ者の寿命を延ばす力があるとされ、神々に不老不死の力を与え、人間や精霊にも長い寿命を与えるという。

　女神アプロディテが恋人アドニスを弔うためにネクタルを地面に垂らしたときは、そこからアネモネという花が生まれている。このためにネクタルのなかには、何らかの生命力が宿っていると考えられる。日本ではこのネクタルから命名された、桃の果肉入り飲料の「ネクター」が有名だが、本来のネクタルは桃とは無関係である。

神食アムブロシア

　アムブロシアは、しばしばネクタルとともに神の食卓にあがる、神の食べ物である。蜜よりも甘く、薫り高い食べ物だとされているが、どのような外見の食べ物かは明確に描かれていない。ただしアムブロシアを軟膏のように肌に塗ったり、香油として振りかける場面がしばしば描かれることから、バターやクリームのような流動性のある物質である可能性が高いといえる。

　アムブロシアの使い道はネクタルよりもさらに幅広い。食べれば不老不死の力が手に入り、これで肌を清めれば絶世の美女となる。馬に食べさせればすばらしい俊足の馬に育ち、傷に塗ればどんな深手もたちまち治癒するのだ。

　また、人間を完全な不老不死の存在に作り変える効果もある。赤ん坊の体にアムブロシアを塗り込んで不死の部位を作ったあと、火であぶって可死の部分を焼き落とす。これを繰り返すことで人体を完全に不死の肉体に作り変えるのだ。アキレス腱の語源となったアキレウスは「弱点のかかと以外完全に不死身」の英雄だが、これはアムブロシアによる人体改造を完成間際まで行ったためだという（ただし、ステュクス川の水に全身を浸したためだとする説も有名である）。

これは初耳です、アムブロシアは美容にもいいんですね！私もヘラ様にならって、アムブロシア化粧水にアムブロシアパックで、ハデス様をめろめろにしてみせます！

あー　化粧に使うのはええけど、食べるぶんまで塗らんように気いつけてや。化粧のせいで不老不死かなくなりましたなんて言うたら、笑い話にもならんで。

ヘラ様の男神品定め① 雷神ゼウス

みなさ～ん、今回の授業、みなさんがどんなふうに成長するためにやっているか、おぼえていますか～？

ギリシャのサイテー男にだまされない、賢くて素敵な女性になること、でしたよね。

そのためには、女神様のことを知るだけなく、男性のことも知る必要がありますよ～。今回はそれにぴったりの先生をお呼びしました～。

結婚の女神ヘラ

結婚と女性の守護神。無数の男女の結婚をとりもつ一方、多くの破綻も目にしてきた、男女関係のエキスパートである。

ギリシャ神話の男たちを品定めするなら、たしかにわたくしが適任ですわね。ええ、いいですよ。メティスさんの生徒さんたちに協力しますわ。

あの～、聞きづらいのですけれど、メティス先生ってゼウス様と……な関係ですよね？ お呼びしても大丈夫なんですか？

あら、わたくし、メティスさんとはいいお友達ですよ？ そもそもメティスさんはゼウス様と正式に結婚した妻ですし、泥棒猫と一緒にする理由なんてありませんとも。

ですよね～♪

まあ、それはそれとしてテキパキと進めていきましょうね、みなさん。ギリシャの男たちの性質を知るには、ギリシャの男の代表、男性の神々の性質を知るのが近道ですのよ。

それではですね～、最初にわたしたちの夫、ゼウス様から紹介していきましょう～。みなさんはこの神様が自分のパートナーとしたらどう思うか、10点満点で採点してみてくださいね～。

ゼウスお父さまを採点！？
そんなことしてしまってよいのでしょうか……？

雷神ゼウスとは？

ゼウスはオリュンポス神族の当主であり、ギリシャ神話の世界の支配者である。敵に雷を落とす武器「雷霆（らいてい）」を持つ最強の戦士で、同時に脳内に住んでいる妻メティスの力で無限の知恵を持っており、あらゆるものに変身する能力も持っている。いわば全知全能にかぎりなく近い存在だ。

ゼウスの正妻はヘラで、彼女のほかにも複数の妾（めかけ）を持っている。だが性欲旺盛なゼウスはそれら数人の女性だけでは満足することができない。ゼウスは相手が神か人間かに関係なく、相手に夫がいるかいないかも関係なく、美しい女性がいればすぐに口説きにいく。そしてあるときは愛の言葉でとりこにし、あるときは神の力で無理やり押さえつけて性行為におよぶのだ。

ゼウスは自分の愛人や子供をできるかぎり保護しようとつとめているが、結婚の女神である正妻ヘラがゼウスのおこないを厳しく監視し、妻の正統な権利を侵した女性たちに制裁を加えるため、彼の愛人はたいてい不幸な死を迎えることになる。

あのう……こんなことを言っていいのかわかりませんけれど、ゼウス様って、女の子のお尻を追いかけてばかりですね……。

女の子とエッチするためなら、ほんとになんでもしますからね～。もちろん、これだけやっても最高神を続けられるくらい、統治者として有能ってことでもありますよ～。

さあ、採点の時間ですのよ。みなさんはゼウスという男性をどう評価します？ 理想的なら10点、最悪なら1点という基準で、遠慮なく評価してごらんなさい。

結婚の女神ヘラ

結婚の女神である私の夫なのですから満点に決まっています。……10点満点の神について話しているように見えない？ ノーコメントですわ！

冥界の女神ペルセポネ

ゼウス様の恋人って、何百人ですか、何千人ですか？ そのなかのひとりでしかないというのはちょっと嫌です……ごめんなさいゼウス様。

神の娘パンドラ

ゼウス様はカッコイイし賢いしお話おもしろいし、恋人として文句なし満点ですわ！ 2点減点の理由？ それは……怖いし？（ヘラのほうを見て）

オリュンポス十二神

なんでもできちゃう天才女神
アテナ

長音表記：アテーナー　ローマ名：ミネルウァ　英語名：ミナーヴァ

額から生まれた賢き女神

　オリュンポス十二神の1柱である女神アテナは、最強の戦士でもある最高神ゼウスと、知恵の女神メティス（→p110）のあいだに生まれた。両親の長所を受け継いだアテナは、戦争、学問、技術などをつかさどる文武両道の万能神である。

　アテナの誕生は衝撃的なものだった。彼女は母メティスの子宮からではなく、父ゼウスの頭にできたコブから生まれてきたのだ。

　ゼウスが正妻ヘラと結婚するより前のこと。最初の妻となった知恵の女神メティスが妊娠すると、ゼウスは祖母ガイア（→p82）から「ふたりの子供は聡明で勇敢に育つ。それが男子なら、その力は父を上回り、神々と人類の主となる」という予言を受けた。自分の地位を奪われることを恐れたゼウスは、妊娠中のメティスを丸呑みにして問題を回避した。

　それから長い年月がたち、ゼウスが父を倒して最高神となって、正妻ヘラと結婚したあとのこと。ある日ゼウスは猛烈な頭痛に襲われ、息子に命じて自分の頭を斧でかち割った。するとそこから、凛々しくも美しい、鎧兜をまとった少女が出てきた。彼女こそメティスの娘、女神アテナその人である。アテナはゼウスの体内で長い年月を過ごしすぎたため、生まれたときには肉体も精神も大人になっていたのだ。

パルテノン神殿の写真。パルテノンとは、意味を分解すると「パラス・アテナの神殿」となる。パラス・アテナとはアテナの別名で、処女神アテナという意味だ。撮影者：Tetraktys

万能の女神アテナ

　古代ギリシャの絵画では、アテナは他の女神と同じく薄布をまとった上に、飾りのついた兜、槍、円形の盾、アイギスという胸当てを身につけた姿で描かれる。

　彼女の神としての特徴は、ゼウスに公認された処女神であること。そしてなかでも以下の3つが特に有名だ。

●戦争の女神アテナ

　生まれたときから完全武装していただけあって、アテナはギリシャで特に有名な戦いの神だ。神話のなかでもアテナはギリシャ屈指の戦士であり、ギリシャ神話最強の武器であるゼウスの雷霆（らいてい）を使うことを許されている。

　彼女が得意なのは、都市を守るための防衛戦争である。古代ギリシャの都市群は「ポリス」と呼ばれ、ひとつの都市がひとつの国家として機能していた。アテナは都市を

守る戦争の守護者としておおいに信仰された。

●**技術と芸術の女神アテナ**

　アテナは非常に頭のいい女神で、さまざまな職人技や芸術を守護していた。なかでも、織物や糸つむぎなど、女性の仕事はアテナの守護下にある。そのほかにも馬の飼育、造船、航海術、建築、木工、金属加工、靴、ペンキなど、アテナが守護する技術はあげればきりがないほどたくさんある。

　神話のなかでも技術の神としての特性は生きていて、複数の神々がひとつの道具を作る場合、たいていアテナが共同で制作している。

●**英雄の守護者アテナ**

　神話のなかでアテナが果たすもっとも大事な役割は、英雄たちの導き手だ。彼女はゼウスの従者だった勝利の女神「ニケ（➡p126）」を譲り受け、ともに英雄たちの前にあらわれ、勝利の加護と助言を授けるのである。

　ギリシャ神話の英雄は、アテナの陣営に敵対しないかぎり、ほとんどがアテナの加護を受けている。なかでも特に目をかけられていたのが、メドゥサ（頭髪がヘビで、見た者を石化させる怪物。158ページ参照）退治の神話で知られるペルセウスだ。アテナは彼に助言と援助を続け、みごとにメドゥサを退治させた。このときペルセウスが切り取った、石化能力があるメドゥサの首は、彼女の胸当て「アイギス」に取り付けられ、アイギスをより鉄壁の防具に仕立てている。

アテナの源流と、都市「アテナイ」

　女神アテナの原型は、かつてギリシャの北方に住んでいた古代ギリシャ人が今のギリシャ地方に侵攻してくるより昔から、ギリシャの中部、北部で信仰されていた複数の軍神がひとつにまとまったものだという説が有力になっている。

　アテナ信仰がもっとも盛んだったのは、現在のギリシャの首都アテネにあたる古代都市国家、アテナイ（「アテナの（都市）」という意味）だ。このアテナイの中心部にある世界遺産「パルテノン神殿」は、アテナのために造られた神殿である。

ミネルウァ：ローマでのアテナ

　ローマでは、アテナはローマの女神ミネルウァと合体し、ミネルウァの名前で信仰された。アテナの神話がイタリアに渡ったのがあまりにも昔（ローマの建国前の紀元前8世紀）だったため、もともとのミネルウァがどんな神だったかはわからない。彼女はローマで、数多くの分野のうち軍事、工匠、詩歌、医術の属性を重視された。

あら、アテナ様の「アイギス」は、盾ではなかったでしょうか……？
調べてみたら、胸当てとする神話と盾とする神話が両方あるそうですね。
……胸にメドゥサさんの首がついているのは、ちょっと嫌ですね。

ヘラ様の男神品定め② 海神ポセイドン

それでは我が夫ゼウス以外の男たちも見ていきましょう。次はゼウスとわたくしの兄弟である海神ポセイドンよ。この男も下半身のだらしなさが夫とそっくりなのよ。どこの種馬かと……ああ、そういえばポセイドンは馬の守護神だったわね。

ゼウスの兄である海神ポセイドンは、世界の海を支配し、川や泉、地下水などを所有し、大地に地震を引き起こす神である。性格は粗野で豪快。乱れた髪と豊かなひげを持ち、手に三叉鉾「トリアイナ」を持つ姿が有名である。ポセイドンの使いの動物は馬であり、下半身が魚になった馬に引かせた馬車で、エーゲ海を走り回るという。

ゼウスと同じくらい強大な神であるポセイドンは、味方としては頼もしいが、プライドが高く、かつてはゼウスに反乱を起こしたこともある。また、ゼウスに負けないほどの好色家で、多くの子供がいるのも特徴だ。

ポセイドン様の場合は〜、浮気をしてもだれも止めないのが問題ですかね〜。ゼウス様の場合はヘラ様が止めますけど、ポセイドン様の奥さんは我慢しちゃうタイプの人なので〜。

でも実力のほうはさすがという感じですわ！ 箱さんに聞いたんですけど、「海のゼウス」なんて異名もあるそうじゃないですか。強い男性って素敵だと思いますの。

だからこそ油断ができませんの。わたくしたち夫婦に反乱するなんて、神界の秩序をなんだと思っているのかしら。2度目はないとは思いますけど、きちんと監視しておきませんと。

結婚の女神ヘラ
反乱分の減点はなしにしておきます。多くの妻を囲う甲斐性はあるのですから、火遊びはやめて妻と妾だけを愛するようにすればよいのですが。

冥界の女神ペルセポネ
男性ってひとりの女性では満足できないんでしょうか？ ダンナ様が別の女性のところに遊びに行って、その帰りを待つのってつらいですよ。

神の娘パンドラ
戦車に乗って世界中を旅するって素敵だと思いません？ 女性を飽きさせない気配りができる方だと思いますわ。恋人として素敵ですわね！

弓のような三日月の女神
アルテミス

長音表記：アルテミス　ローマ名：ディアナ　英語名：ダイアナ

双子の姉の狩猟神

オリュンポス十二神には、双子でそろって十二神に名を連ねている優秀な神がいる。それが太陽神アポロンと、本項で紹介する月の女神アルテミスの双子神だ。双子の姉であるアルテミスは、ほかの女神よりも丈の短い活動的な服装を好む。手には鍛冶神ヘパイストス（➡p69）が作った黄金の弓を持って野山を駆け回り、この弓矢に狙われた者は死をまぬがれることができないという。

アルテミスの多彩な領分

アルテミスは、ギリシャ神話の女神のなかでも、特に幅広い特徴を有している。処女神、狩り、出産、獣の守護神など、その多彩さは戦神アテナに匹敵する。

●処女神アルテミス

「処女神」とは、最高神ゼウスによって、永遠に処女でいることを許され、保証された女神のことだ。本書ではアルテミスのほかに、アテナ（➡p28）、ヘスティア（➡p40）が処女神の許可を持っている。彼女は父と弟アポロン以外の男性と関わりをもたず、山の精霊(ニンフ)たちを従え、野山で狩りを楽しんでいる。

アルテミスの処女性を侵そうとする者には、それが故意でなくとも手ひどい罰が与えられる。例えばアルテミスの水浴びを覗いてしまった青年アクタイオンは、怒ったアルテミスに鹿に変えられたのち、アルテミスがけしかけた犬に食い殺された。

アルテミスが男性と積極的に関わった唯一の例外が、のちに星座になったことで有名な、狩りの名人である人間オリオンだ。アルテミスはオリオンに恋をして、ともに狩りを楽しむようになるが、姉であるアルテミスの心変わりに嫉妬したアポロンが、海を泳ぐオリオンを丸太と勘違いさせて、弓の腕試しと称してアルテミス自身に射殺させてしまったという。これ以降、アルテミスが恋をする話は伝わっていない。

●狩りと死の神アルテミス

アルテミスとアポロンは狩りの神であり、弓の達人でもある。この弓は狩りの獲物だけでなく、モンスターや人間に向けられることも多い。彼女は非常に誇り高く、母親思いの女神なので、自分や母親を馬鹿にしたり危害を加える者に対しては、愛用の黄金の弓から矢を放ち、死をもって報いるのだ。

このため現実世界のギリシャでは、女性が原因不明の突然死をすると「アルテミスの矢に撃たれた」ものと考えた。ちなみに突然死したのが男性だった場合は、アポロンの矢に撃たれたと考えられたという。

●月の女神アルテミス

現代ではアルテミスと聞くと「月の女神」だと連想する人が多いが、実は本来のアルテミスは、月とはまったく関係のない女神だった。古い時代の神話で月の女神といえば、ティタン神族のセレネ（➡p130）のことだった。

アルテミスが月の女神になったのは、ギリシャで初めて神話を体系的にまとめた本『神統記』よりも200年以上新しい、紀元前5世紀以降だと考えられている。このころのギリシャでは、アルテミスの双子の弟であるアポロンに太陽神の属性をつけ加える運動が盛んに行われていた。そのため姉であるアルテミスも、太陽と関係の深い「月」の女神だと考えられるようになっていったのだ。

アルテミスの源流とその後

アルテミスはギリシャ古来の神ではない。そもそもギリシャ人が現在のようなバルカン半島の先端に住み着いたのは、紀元前15世紀前後からで、もともとそこには別の民族が住んでいた。アルテミスはこの先住民族が信仰していた女神なのだ。

北からやってきたギリシャ人の祖先は先住民族を征服するが、彼らのアルテミス信仰を滅ぼすことはせず、ギリシャ人好みの女神に作り替え、自分たちの神話に組み込んだ。処女神であるアルテミスが出産を守護したり、本来なら大地母神の領域である野山を守護しているのは、アルテミスの原型になった古い女神の性質が生き残った結果だと考えられている。

ギリシャの対岸にあるトルコ領の街エフェソスで発掘された、ギリシャ化する前のアルテミス像。胸のところにある無数のふくらみは、無数の乳房、あるいは牛の睾丸を模したもので、多産の象徴である。撮影者：Dorieo21

ディアナ：ローマでのアルテミス

アルテミス信仰は紀元前6世紀ごろにローマに渡り、ローマの女神ディアナと合体した。ディアナは本来は樹木の神で、家畜や人間に多産をもたらす神だったが、固有の神話を持たなかったため、ローマで語り継がれたディアナの神話はほとんどがアルテミスの名前をディアナに変えただけの内容になっている。

ギリシャでアルテミスが月の女神と解釈されるようになると、ローマでもディアナが月の女神と解釈されるようになっていく。ローマ固有の月の女神はルナといい、ギリシャのセレネと同じ神話が与えられていたが、早いうちからその信仰をディアナに吸収され、ルナの信仰や神話はほとんど残っていない。

アルテミス様が出産の女神なのは、ご自分が生まれた直後に、弟のアポロン様が生まれてくるのを手伝ったからなのだそうですね。生まれたばかりですぐ仕事をするなんて、十二神に選ばれる方は違いますわね！

ヘラ様の男神品定め③ 太陽神アポロン

> 3柱目の男神は、月神アルテミスの双子の兄、太陽神アポロンよ。レトという女が私の夫、ゼウスを誘惑して産んだ子でね……ああっ、思い出すだけで腹が立つわ。そんな腹立たしい生まれなのに、外見は美形だし、頭もいいのが気にくわないのよ。

　アポロンは女神レト（➡p134）から生まれたゼウスの息子で、アルテミス（➡p32）の双子の弟である。アポロンはまず光と太陽の神であり、弓矢の名人として知られる。人間に医術を教えたり、芸術の守護神（➡p62）でもあり、デルポイという神殿では巫女に神託をくだす。まさに文武両道という言葉がしっくりくる。

　そのうえ外見も美しいので、さぞ女性にもてるだろうと思えるが、実はアポロンはギリシャ神話屈指の"女運がない"神である。アポロンが愛する女性は、呪いや予言などの理由から彼の愛を拒絶し、時には悲劇的な死を迎えることになるのだ。

> アポロン君が一目惚れしたニンフのダプネちゃんは、呪いをかけられて樹になっちゃいましたし～、予言の力を与えたカサンドラちゃんは予言のせいで殺されて……惚れられた女の子のほうがかわいそうですね～。

> でもでも、恋に焦がれるイケメンって絵になりますわよね！結ばれないふたり、愛する人を不幸にしてしまった宿命に苦悩するアポロン様……わたしもそのくらい愛されたいですわ♥

> いや、目立つのは不幸ばっかりやけどな。アポロンはん、ちゃんとやることはやっとるねんで。愛人も子供もたくさんおるリア充街道まっしぐらや。しかも、美形なら男にも手を出すってのがびっくりやわ。

結婚の女神ヘラ

レトの子というだけで不愉快なのに、結婚もせず、男女を問わずに愛人あさりなんて、結婚の女神たる私にケンカを売っているのかしら？

神の娘パンドラ

イケメンで賢くてユーモアもあって、恋人としては理想的ですわ！マザコン＆シスコンっぽいのと、美形なら男女かまわずなのが減点かしら。

知恵の女神メティス

実はアポロン君って、お母さんや妹を守るみたいな、目的のためなら残酷にもなれるタイプなんですよ～。支配者にふさわしい資質です～。

オリュンポス十二神

春になったらあの子に会えるね！
デメテル&ペルセポネ

長音表記：デメーテール／ペルセポネー　ローマ名：ケレース／プロセルピナ　ペルセポネの別名：コレ

子煩悩な大地の女神

　オリュンポス十二神に数えられる女神は、どれも篤い信仰に支えられ、偉大な力を持つとされている。ゼウスの姉であるこのデメテルは「母なる大地」という意味の名前を持ち、人間の生命維持に不可欠な穀物の実りをもたらす大地の女神である。なかでも特に麦との関係が深いため、彼女は麦の穂のような美しい金髪を結い上げた、美しくも母性あふれる姿で描かれることが多い。また、中世に描かれた絵画では、実際に髪の毛に麦の穂が結い込まれていることすらある。

　デメテルは妹のヘラと違い、正式な夫を持っていない。兄弟であるゼウスとポセイドンは、嫌がるデメテルに対して無理やり性交渉におよび、ゼウスはペルセポネという女神を、ポセイドンは神馬アレイオンと秘儀の女神デスポイアを産ませている。彼女は行為を無理強いした兄弟のことはよく思っていないが、その結果として生まれた子供には、大地母神らしい深い愛情を持って接している。

　基本的に、ギリシャの神々としては珍しいほど温厚な性格のデメテルだが、ひとたび怒ったときはすさまじい被害を周囲にもたらすため、最高神ゼウスですらデメテルへの対応には気を遣っている。彼女を怒らせる"逆鱗"は、ずばり、デメテルの子供たちである。もし誰かがデメテルの子供たちを攻撃したり母親から引き離そうものなら、怒ったデメテルは世界の大地すべてに干渉し、作物が一切実らないようにしてしまうのだ。

冥界の女神ペルセポネ

　子煩悩なデメテルの子供のうち、神話上もっとも重要で、母デメテルに溺愛されているのがペルセポネという女神である。母親と同じく大変な美少女で、麦のような金髪を持ち、母親とは違って髪を下ろした姿で描かれる。

　ペルセポネは別名を「コレ（乙女）」といい、母のデメテルとあわせて実りの女神として篤く信仰されていた。また、植物の芽生えから転じて、地上に春の訪れをもたらす女神だとも考えられている。同時に彼女は、ギリシャ神話の死後の世界である冥界を、夫である冥界神ハデス（➡p82）とともに統治する「冥界の女王」だ。彼女はハデスに誘拐され、略奪婚によって妻になった（後述）のだが、その後は冥界の女王になることを受け入れている。夫婦仲も良好で、神話でもハデスの隣にいることが多い。ちなみに、あまり一般的ではない神話では、ペルセポネの母はデメテルではなく冥界の川の女神ステュクス（➡p120）で、生粋の冥界神だったともいう。

世界に季節ができた理由

　デメテルとペルセポネは、世界に四季を作った神だ。そのくわしい経緯が、神々に捧げられた詩を集めた『ホメロス讃歌』の一節『デメテル讃歌』に紹介されている。

　神話によれば、デメテルとペルセポネは非常に仲のいい親子であり、地上で仲むつまじく暮らしていた。ところが可憐なペルセポネの姿に、デメテルの兄弟である冥界神ハデスが魅せられてしまう。これをハデスがペルセポネの遺伝上の父親である最高神ゼウスに相談すると、ゼウスは母親のデメテルに何の断りもなく、ハデスとペルセポネの結婚を許可し、ペルセポネを誘拐するように入れ知恵する。厳格だが純朴な性格のハデスは、これを文字どおりに実行してしまった。

　愛する娘を奪われたデメテルは嘆き悲しみ、大地に実りをもたらすという神の役割を放棄し、食事も取らずに老婆のようにやつれていった。事態の元凶であるゼウスは、言葉を尽くし、贈り物をしてデメテルを説得しようとしたが、デメテルの心には届かない。そこでゼウスはやむをえず、冥界にいるペルセポネを地上に呼び、デメテルに会わせるよう命じたのである。

　ここで、世界中の神話で見られる、冥界帰りの掟について説明しなくてはならない。冥界に行った者がそこで食べ物を口にすると、もとの世界に帰れなくなるという法則がある。ペルセポネはハデスとの結婚を拒否していたが、地上へ呼び戻される直前、ハデスの手で口にザクロの実を1粒押し込まれてしまっていたのだ。

　この掟をどのように適用するべきか、神々が協議した結果、ペルセポネは1年の3分の2は母親とともに地上で暮らせるが、3分の1は冥界でハデスの妻として過ごすことになった。娘が冥界に行くとデメテルは悲しみ、作物や植物は枯れてしまう。これが冬である。冥界から娘が帰ってくると、大地は喜んで花を咲き乱れさせる。そしてペルセポネが地上にいる8ヶ月のあいだ、穀物は豊かに実るのだ。これがギリシャに四季がある理由であり、ペルセポネが春の女神と呼ばれる理由でもある。

ケレース：ローマでのデメテル

　ローマ神話では、豊穣神ケレースがギリシャのデメテル神話を引き継いだ。大地の神という連想から冥界の神ともされ、日本で葬儀のあとに塩をまくのと同じように、ケレースに供物を捧げて死の穢れを払う儀式が行われていた。

　娘のペルセポネはローマではプロセルピナと呼ばれているが、この神はもともとローマに存在しておらず、ケレースにデメテルの神話をあてはめるためにペルセポネに対応するものとして新しく創作された神らしい。

ギリシャ中部のエレウシスっちゅう都市は、デメテル様とペルセポネはんの神話を再現する秘密の儀式を行う聖地やった。せやからこの儀式のことを、よく「エレウシスの秘儀」って呼んだりするで。

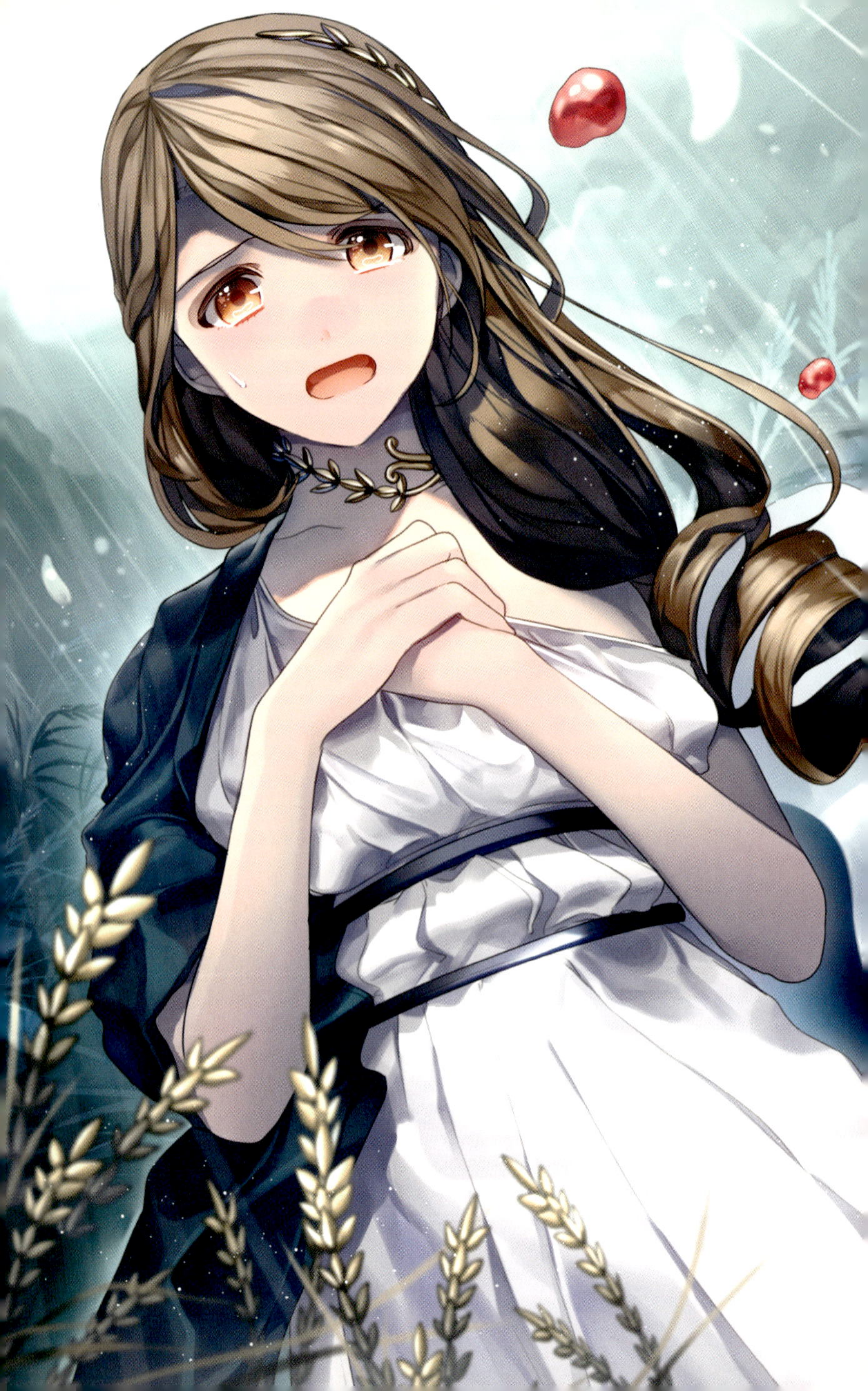

illustrated by 天領セナ

オリュンポス十二神

おうちの中にいつでもヘスティア
ヘスティア

長音表記：ヘスティアー　ローマ名：ウェスタ　英語名：ヴェスタ

ギリシャ屈指の控えめ女神様

　最高神ゼウスの6兄弟の長子は、ヘスティアという女神である。彼女は家庭で使われる火と、その火を使う場所「かまど」を守護する女神である。家屋のなかでもっとも重要な場所であるかまどを守護することから、ヘスティアは家庭そのものの守護神だとも考えられている。

　ほかのオリュンポス十二神と比べて、ヘスティアの外見を描いた絵や彫刻は極端に少ない。なぜならギリシャ人たちは、家庭にある「火」と「かまど」そのものをヘスティアとして信仰していたので、偶像を作る必要がなかったからだ。わずかに残るヘスティアの肖像などでは、彼女は若い外見の女性として造形されている。また、神々に捧げる詩をまとめた『ホメロス風讃歌』の一節『ヘスティア讃歌』では、巻き毛の髪を持つという記述が見られる。

　ヘスティアの外見についてひとつだけ確実に言えることは、彼女は6柱の兄弟のなかでもっとも幼い外見だということ。長女であるはずのヘスティアの外見が幼いのは、彼女たち兄弟の誕生の経緯が特殊なものだったからだ。かつてヘスティアたちの父親である農耕神クロノス（→p137）は、「自分の子供に権力を奪われる」という予言を恐れて、生まれた子供をかたっぱしから丸呑みにして自分の腹の中で仮死状態にしていた。だが末弟であるゼウスが、知恵の女神メティス（→p108）の協力を得てクロノスに嘔吐剤を飲ませたため、ゼウスの兄と姉たちはクロノスの腹から順番に吐き出されて蘇生した。このとき、いちばん最初に飲み込まれていたヘスティアが、いちばん最後に復活したため、ヘスティアは兄弟でいちばん幼い外見になったという。

優しき長姉ヘスティア

　幼くも美しいヘスティアには求婚者が絶えず、オリュンポス十二神であるポセイドンやアポロンも彼女を妻にと望んでいる。だが当のヘスティアには結婚をするつもりはまったくなかったので、彼女は最高神となっていた弟ゼウスに頼んで、永遠に処女である誓いを立てたのである。

　ゼウスは、結婚という栄誉を捨てた姉のために、「神々のなかでもっとも尊重される女神」という地位を授けた。そのためヘスティアは、家庭の中でもっとも重要な「かまど」をその座所とし、あらゆる神殿で生け贄の家畜を捧げるためのかまどの女神として崇拝を受け、神々の宴会が行われるときは、まずヘスティアに酒を献上するようになったのである。また、ギリシャ人たちは、ヘスティアは自分の聖所であるかまど

illustrated by 月上クロニカ

のまわりを離れないと考えていたため、ヘスティアは神話にめったに登場しない。

優しき長姉ヘスティア

　良くも悪くも自己主張の強い6兄弟のなかで、ヘスティアは例外的に優しく控え目で、のんびりとした性格だ。彼女は神々の最年長者としての権利を自由に使うこともできるはずだが、そうすることはせず、家屋のかまどから離れようとしない。

　また、ギリシャ神話のなかでも比較的新しい神である、酒と狂気の男神ディオニュソスへの崇拝が現実世界で広まると、この神をオリュンポス十二神の末席に加えるべきだという運動が起きた。そのため詩人たちは、「優しいヘスティアが、若く有力な神に育ったディオニュソスに、オリュンポス十二神の座を譲ってやった」という神話を作り出した。そのような神話を作っても問題ないと思われるほど、ヘスティアは優しく控えめな神として認知されていたのである。

ウェスタ：ローマでのヘスティア

　ギリシャと同じように、ローマにも古くからかまどの神が処女神であるという信仰があり、かまどの女神はウェスタと呼ばれていた。のちにローマの神々にギリシャ神話の物語が移植されはじめると、ウェスタはギリシャのヘスティアと同じ立ち位置の神となり、最高神ユピテル（ゼウスのローマ版）の姉とされた。

　ローマ人はギリシャ人と同様に家庭をひとつの社会単位として重視するだけでなく、国家とはすなわち巨大な家族であるという考え方を持っていた。ならば家族（国）の中心には、それにふさわしい大きなかまどが置かれなければいけない。都市ローマの中心には、各家庭の人々が種火を家に持ち帰るための「採火場」という施設があり、ここが国の守護神としてのウェスタのかまどだとされた。ローマ人が新しい街を作ると、彼らは別の街のウェスタ神殿からわざわざ聖火を運び、採火場に灯したのである。

採火場で供物を受け取るウェスタ。ローマの共同採火場にはかならずウェスタの神殿があった。1723年、イタリア人画家セバスティアノ・リッキの作品。

　ローマでウェスタの聖火を守ったのは、「ウェスタの乙女」と呼ばれる神官たちだ。ウェスタの乙女になれるのは6～10歳の良家の娘だけで、女性でありながら高い地位を与えられていた。ただし戒律も厳しく、聖火を絶やすことなく維持し、処女神ウェスタにならって純潔を保ち、最低でも30年役目を務める必要があった。

「オリンピック」ちゅう人間たちの祭を知ってまっか？　あの祭で、たいまつを持った人間が「聖火リレー」ちゅうて走っとるけど、あの聖火は「ウェスタの火」ちゅうて、ヘスティア様の火なんやで。

ヘラ様の男神品定め④ 戦神アレス

> 4人目の男神は……ええ、そうです。わたくしの息子、戦神アレスです。粗野で乱暴な性格だと批判されますけど、戦の神なのですから当然ですよね……ええ、けっしてメティスさんの娘とは、アテナとは比べないでくださいよ！

　ギリシャ神話の戦神といえば、28ページのアテナと、ゼウスとヘラ（→p22）の長男であるアレスが代表格だ。アテナは学問の神でもあるなど理性的な戦神だが、アレスはもっと粗野で凶暴な性格で、戦闘そのものを好む、怒りと虐殺の神だとされている。そのためギリシャ人はアレスを崇拝するというよりは恐れていた。

　アレスは神々にも嫌われており、父であるゼウスにも「邪悪で怒りに狂った神」と非難された。オリュンポスの宮廷において彼の味方は、実の母であるヘラと、不和の神エリスなど部下の神々、恋人アプロディテくらいしかいなかった。

> できの悪い子ほどかわいい、とよく言いますけど、そんなに気楽なものじゃああありませんのよ。誰かあの子をきっちり尻に敷いてくれないものかしらね……（チラッ）

> あ、いえ、私にはハデス様がいますので……（汗）それにしてもアプロディテ様は、なんで評判の悪いアレス様を愛人にしているんでしょうか。

> やっぱり美形だってのが大きいんちゃうかな。それからああいうタイプの方は、好きになった人には強引＆情熱的に口説くと思うで。そのへんもアプロディテ様は好みそうや。

結婚の女神ヘラ

ええ、私と夫の子供ですから、能力も外見も申し分ないんです。せめてあの性格だけ、性格だけはどうにかならないものかしら……!!

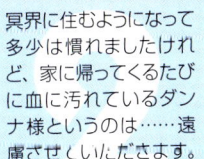

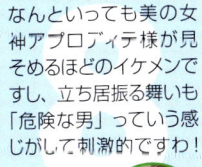

冥界の女神ペルセポネ

冥界に住むようになって多少は慣れましたけど、家に帰ってくるたびに血に汚れているダンナ様というのは……遠慮させていただきます。

神の娘パンドラ

なんといっても美の女神アプロディテ様が見そめるほどのイケメンですし、立ち居振る舞いも「危険な男」っていう感じがして刺激的ですわ！

オリュンポス十二神

神様だって悩殺しちゃう！
アプロディテ

長音表記：アプロディーテー　**ローマ名**：ウェヌス　**英語名**：ヴィーナス

男女の愛をかきたてる女神

「ミロのヴィーナス」という言葉に聞き覚えはないだろうか？世界屈指の有名な彫刻であるこの作品は、実はギリシャ神話の美の女神「アプロディテ」をかたどったものだ。ヴィーナスとはアプロディテの英語での呼び方である。アプロディテは日本では「アフロディーテ」と表記されることが多いので、こちらの名前でこの女神を知っている人も多いだろう。

アプロディテは美と愛と春の女神で、男女の肉体の結びつきを守護している。彼女は娼婦の守護神であり、作物の実りや、航海の安全を保証する神でもある。

アプロディテは、絵画や彫刻では豊満な肉体を持つ美女として表現され、腰に帯を巻き付けていることが多い。この腰帯は単なる装飾品ではなく、異性を誘惑する神の宝である。この腰帯を巻いた者に誘惑されると、たとえ最高神ゼウスであっても、抵抗しがたい愛情と性欲にとらわれるのだ。この腰帯の力に抵抗できたのは、ゼウスに認められた処女神、アテナ、アルテミス、ヘスティアだけだった。

エーゲ海南西部のミロス島で発掘された「ミロのヴィーナス」。ルーヴル美術館蔵。

彼女の腰帯はアプロディテ本人が使うだけでなく、ほかの神々にも貸し出されることがある。例えば神々の女王ヘラ（→p22）は、地上で進めているヘラの悪だくみから夫である主神ゼウスの目をそらすため、アプロディテから借りた腰帯でゼウスを誘惑して、ヘラ本人以外のことに目が向かないようにしたことがある。

夫のある身で浮気妻

アプロディテは、ゼウスの父親である天空神クロノス（→p137）が、その父ウラノス（→p136）に反乱を起こして男性器を切り落としたとき、その男性器から精液が海に漏れて泡が立ち、その泡から生まれたとされる女神である（神話『イリアス』では設定が異なり、ゼウスとディオネ（→p116）の娘だとする）。

愛の女神であるアプロディテは、神とも人間とも愛を交わし、数多くの子供を産んでいる。行きずりの関係だけでなく、固定の愛人とされている神や人間も、名前が知られている人物だけでも両手両足の指ではきかないほどの人数がいる。

このように放蕩のかぎりを尽くしているアプロディテだが、意外なことに彼女には正式な夫がいたことがある。それはオリュンポス十二神の1柱、ゼウスの息子である鍛

illustrated by 加藤いつわ

冶神ヘパイストスだった。ヘパイストスは外見が醜く、足に障害があるなど、美女アプロディテと釣り合う外見ではなかったのだが、ヘパイストスが実母ヘラと和解する交換条件としてアプロディテとの結婚を持ち出したため、結婚の女神であるヘラの裁定により、ふたりは正式に夫婦となったのだ。

だが、正式な夫ができたくらいで愛の女神の男遊びをやめるわけがない。アプロディテは夫の弟である軍神アレス（→48）を夫婦のベッドに誘って、不倫行為を繰り返すようになった。そこでヘパイストスはだまされたふりをしつつベッドに罠をしかけ、不倫中のアプロディテとアレスを丸裸のまま捕獲して神々にお披露目した。

こうしてアプロディテはヘパイストスと離婚し、ギリシャの南東にあるキプロス島へ逃げ去ったとされている。実はこのキプロス島は、もともと中東で信仰されていたアプロディテがギリシャ神話に組み込まれて以来、信仰の拠点となっていた島である。ギリシャ人はキプロス島でアプロディテ信仰が盛んな理由を、アプロディテの不倫と離婚の神話で説明したのである。

ウェヌス：ローマでのアプロディテ

アプロディテの神話は紀元前2世紀ごろにローマに伝わり、もともとローマで信仰されていた草木と庭園の守護神「ウェヌス」と同化した。ギリシャ人は純潔を尊ぶため、性的に奔放なアプロディテの信仰は、物語での活躍に比べると盛んではなかったのだが、ローマ人は性的に奔放であったうえ、ローマの建国者ウェヌスの子孫だという神話で人気が高まり、重要な女神となった。

ローマでは、女神の特定の側面を強調したり、その分野に特化した加護を求めるために、女神の名前のうしろに「添え名」をつけることがある。ウェヌスは特に多くの添え名を持つ女神で、以下のような特色のある種類があった。

●ウェヌス・ゲネトリクス：母なるウェヌス。母性と家庭の守護者であり、ウェヌスの子孫といわれる独裁者ジュリアス・シーザーは彼女のために神殿を造った。右肩から右胸にかけて薄布をまとった姿で彫刻される。
●ウェヌス・エリュキナ：エリュクス山のウェヌス。イタリアの西に浮かぶシチリア島で、娼婦の女神、不純な愛の守護者として信仰された。
●ウェヌス・ビクトリクス：勝利者ウェヌス。アプロディテの戦神としての能力を引き継いだもので、武装したウェヌスの姿で表現される。
●ウェヌス・カリピュゴス：お尻のきれいなウェヌス。右肩越しに振り返って地面を見ている構図で、丸出しにしたお尻の形が美しく見えることで人気がある。シチリア島の主要都市シラクサで信仰された。

美のために必要なのは、よく食べ、よく眠り、きちんとウンチをすることです〜！　実はアプロディテ様はローマで「ウェヌス・クロキアーナ」と呼ばれてます〜。この名前のウェヌス様は、トイレの女神なんですよ〜。

オリュンポス神族
Olympuses

　最高神ゼウスやオリュンポス十二神の部下として働く神々のことを、オリュンポス神族と呼びます。オリュンポス神族には２種類の定義があり、「ゼウスの配下」という仕事上の関係を重視する考え方と、「ゼウスやその兄弟の子孫」という血縁を重視する考え方があります。本書では後者の血縁関係を基準に、女神たちの親族を分けています。

illustrated by 皐月メイ

モイラ

オリュンポス神族とは何者?

オリュンポス神族

> ギリシャ神話の世界でいちばん偉いのが、オリュンポス十二神の皆さんだということはよくわかりましたわ。お父様ってそんなに偉い神様だったのですね……ところで、オリュンポスってなんですの?

> ええっ!? パンドラちゃん、さすがにそれは知っておこうよ！わたしたちみんな「オリュンポス神族」じゃない！

> はい、そのとおりですねぇ～。
> ギリシャ神話の世界は、ゼウス様とオリュンポス十二神の皆さんがリーダーとしてひっぱる、オリュンポス神族の神々に支配されているんです～。

オリュンポスとは山の名前である

　ゼウスが率いる神のグループは、オリュンポス神族と呼ばれています。これは、ゼウスたちの本拠地が、**オリュンポス山**という山の頂上にあったことに由来します。

　オリュンポス山は、ギリシャでもっとも高い山です。標高は2917mで、日本の富士山よりやや低い程度。冬場は山頂に雪が積もり、山頂が雲に隠れて見えなくなることもあります。ギリシャ人は、この偉大な山を常に北に見て暮らしていたのです。

オリュンポス山は、ギリシャの主要都市の北にある山です。

> 高い山の上に神様が住む世界があるっちゅう話は、世界の神話ではわりとよく見られる考え方や。例えば中国やと「須弥山」とか「崑崙山」っちゅう、神様とか仙人とかが住む山が有名やね。

> たしかに下界から見上げると、山の上には何か特別な者がいるのでは、という気分になるかも。特にオリュンポス山くらい高いと、山頂が雲に隠れることもありますから。雲より高い場所なんて、異世界だと思っちゃいますよね。

それでは、オリュンポス神族とは？

> 神様がどっちの神族の一員か判断するのってすごく難しいんです〜。例えば先生は、ゼウス様と結婚してるからオリュンポス神族ですし、両親が先王クロノス様の兄弟だから血筋はティタン神族系なんですよ〜。

オリュンポス神族は、ゼウスを頂点として、この世界を支配している神の一族です。しかしどの神がオリュンポス神族でどの神がそうでないかという分け方には、明確な基準がありません。一般的には、以下のどちらかの基準で、その神がオリュンポス神族かそうでないかを判断します。

どこまでがオリュンポス神族か？

血縁で分ける

神族を血縁関係を基準に分ける場合、オリュンポス神族とは、農耕神クロノスを父に、女神レアを母親に産まれた6柱の神々（つまりゼウスの兄弟）と、その子孫のことを指します。

➡ **ゼウスの兄弟と子孫**

勢力で分ける

神族を、敵味方の勢力で分ける場合、オリュンポス神族とは、ゼウスをリーダーとして認め、オリュンポス山に住んでいる神々のことで、このなかには血縁的にはティタン神族に属する神も多い。

➡ **ゼウスに従う神々**

オリュンポスはどんな世界？

神々はオリュンポスの山頂に自分の宮殿を建て、海神ポセイドンなどの例外を除いてそこに住んでいます。神々の集会場には黄金のテーブルが置かれ、神々はそこで世界の行く末を相談しながら、不老不死の神酒ネクタルを酌み交わすといいます。

最古のギリシャ神話『イリアス』を作った盲目の名詩人ホメロスは、オリュンポスのことを右のように歌っています。

> そこはまったく風にもさらされず雪も降らない。いよいよ澄み切った大気にとりまかれ、白光に包まれている。そこで、神々は、永遠の生命とともにいつまでも続く幸福を味わうのだ

つむいで計って切り取って♪
モイラ

長音表記:モイラ(複数形モイライ)　ローマ名:パルカ(複数形パルカエ)　英語名:フェイト

運命を定める3女神

ギリシャ神話で人間の運命を定めるのは、モイラという3姉妹の神である。このモイラという名前は彼女たちの役職名のようなもので、3柱全員をひとまとめで呼ぶときは複数形のモイライが使われる。

神話がまだ文字になっていない時代、モイラは1柱だけの女神だったというが、ギリシャ神話最古期の詩人ヘシオドスの著書『神統記』では3柱1組の女神だとしており、後世にはこれが主流の考えとなった。3柱の女神にはそれぞれクロト、ラケシス、アトロポスという名前がある。彼女たちは、老女あるいは、端正な容貌の中年女性として描かれる。

運命の糸をつむぐモイラたち。19世紀ドイツの画家パウル・シューマン画。

3人のモイラたちの持ち物は、彼女たちが運命とどう関わる存在なのかをあらわしている。長女のクロトは手に糸巻き棒を持っており、人間の運命を「つむぎ出す」のが役割だ。次女ラケシスはクロトがつむぎ出した糸を手に持ち、どの人がどのような運命と出会い、どのくらいの長さを生きるかを割り当てている。三女のアトロポスは手にハサミを持ち、姉が割り当てた運命のとおりに人生の長さを断ち切る。こうして人間の寿命と運命が定められているのだ。

モイライは人間の運命を管理する神だけあって、神々のみが活躍する神話よりも、人間の英雄の活躍に神々がちょっかいをかける形式の神話に多く登場する。

王子メレアグロスの物語では、王子の生後7日でモイラたちがあらわれ「炉の上で燃えるたきぎがすっかり燃えてしまったときにメレアグロスは死ぬ」と言った。これを聞いて母である王妃はたきぎの火を消し、箱の中にしまった。このためメレアグロスは不死身となったが、のちに母が兄弟の死により正気を失い、箱の中のたきぎを火の中に投げたため、メレアグロスはたちどころに死んだという。

神話のなかのモイライたち

モイライたちの生まれは神話によってまちまちである。例えば『神統記』には、モイラたちを「ゼウスと掟の女神テミスの子(➡p106)」とする記述と「夜の女神ニュクスの子(➡p88)」とする記述が混在している。また、ヘシオドスの約300年あとの哲学者プラトンは著書『国家』で、モイラたちを必然の女神アナンケの子と呼ん

でいる。時代によってもモイラたちの出自にブレがあることがわかる。

　神話の物語では、モイラたちは物語の脇役、舞台装置のような役目を与えられることが多く、彼女たち自身が積極的に動いて大きな働きをすることは少ない。

　モイラたちが積極的に動いて大きな活躍を見せているのは、神々と巨人族との戦争「ギガントマキア（→p171）」である。1～2世紀ごろの詩人アポロドロスによると、モイラたちは銅の棍棒を振るって巨人アグリオスとトオンと戦い、これを殺したという。その後、最強の怪物テュポンとゼウスが戦うと、ほかの神々はテュポンを恐れて動物に変身して逃げ出し、ゼウス本人も1度はテュポンに敗れてしまう。するとモイライはテュポンをあざむいて「無常の果実」なるものを食べさせ、その力を衰えさせたという。ゼウスが最終戦争に勝利できたのは、モイラたちの策のおかげなのだ。

モイラたちが運命の女神になったわけ

　もともとモイラという単語は「持ち分」「割り当て」を意味した。ギリシャ神話初期の詩人ヘシオドスは、アプロディテ（→p44）に関してこう言っている。
「このような特権をはじめからこの女神は得ておられたのだ　この持ち分を　人間どもと不死の神々のあいだで授かっていられたのだ」（『神統記』／岩波文庫）

　やがてモイラ（持ち分）という言葉は、「人間が一生のあいだに使うことのできる寿命や運命の持ち分」を意味するようになり、モイラたちは人間の運命を定める女神となったのだ。

ゼウスとモイラ

　神話や伝説、詩や劇のなかで、モイラは時にゼウスに従うように見え、また時にはゼウスよりも優位にあるように見える。

　ギリシアの詩人ホメロスの詩では、モイラたちは神々のおこないに左右されることなく独立して行動し、ただゼウスのみがモイラの意志をおしはかって実行に移す。その姿はまるで、モイラが定めた運命を現実にする職人のようだ。

　ホメロスの長編物語『イリアス』では、ゼウスはモイラの意図を知ろうとして黄金の天秤を手にし、片方にトロイアの英雄ヘクトルの死の重さ、片方にギリシアの英雄アキレウスの死の重さを乗せて、天秤がどちらに傾くかを見る。やがて秤は傾き、モイラが定めていた運命は遂行されるのだ。なお、ゼウスにこの決定を覆す力があったのか、それともなかったのかは明示されておらず、読者が勝手な想像をめぐらせることしかできないのが実情である。

　ローマの詩人ウェルギリウスも、これにならってゼウス（ローマではユピテル）がモイラ（ローマではパルカ）の意図を知ろうとして天秤をとり、英雄の運命を乗せた天秤がどちらに傾くか見ているさまを詠っている。

> 3人組の運命の女神様が、人間の運命を決めているっていうお話は、ヨーロッパの北のほうに伝わっている「北欧神話」でもまったく同じなんです～。もしかしたら、もとは同じ神様だったりするかもしれませんよ～？

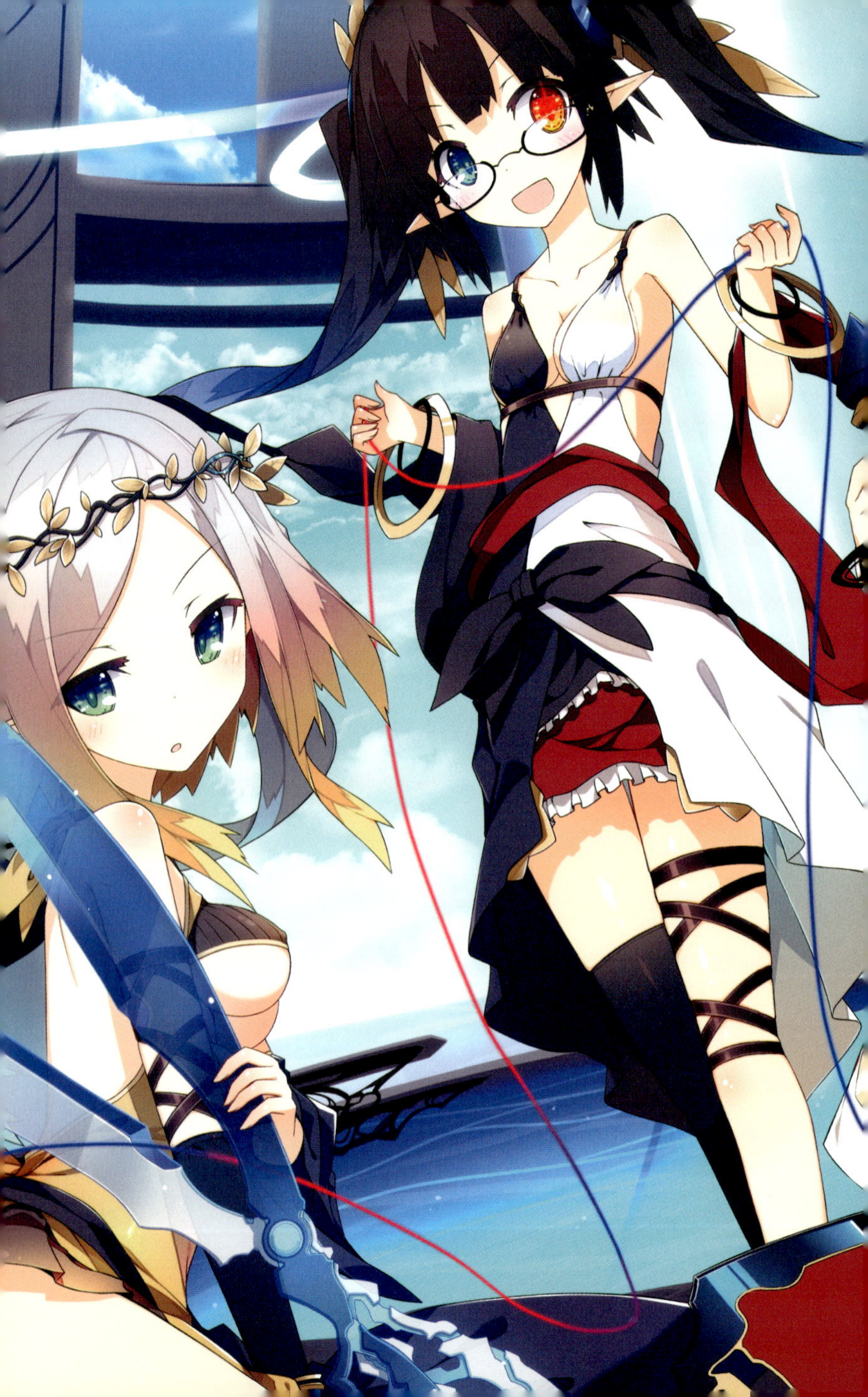

illustrated by いちゃん

転んでアレが見えちゃった！
へべ

別名：ヘーベー　ローマ名：ユウェンタス　英語名：ユース

不死の恵みを配る女神

　ギリシャ神話に登場する神々は不老不死の存在であり、その力は、神酒「ネクタル」と神食「アムブロシア」（➡ p25）で得られているのだという。ギリシャの神々はしばしば宴会を行い、ネクタルとアムブロシアを飲み食いして不死の力を補給する。神々にこれらを振る舞う給仕役をつとめているのが、へべという女神である。

　へべは若者が持つ「若さ」や「青春」、処女の初々しさを神格化した女神である。若さを象徴しているだけあり、へべ自身も若く美しい外見をしているという。また、ただ若いだけでなく「相手を若返らせる」能力もあり、へべに気に入られた人間は永遠の若さを手に入れることができるとされる。ある神話では、敵軍と戦うために「1日だけ若返らせてほしい」と願った老英雄の願いを聞き入れ、全盛期の力を取り戻した老英雄の力で戦いを勝利に導いたこともある。

　へべの両親は、最高神ゼウスとその正妻へラ（➡ p22）である。ゼウスとへラのあいだには、軍神アレスなど4柱の子供がいたが、へべはそのなかでも夫婦に特に愛されていたといわれる。夫はギリシャ神話の大英雄であるヘラクレス。彼はゼウスが人間の女性と浮気して産ませた男子なので、正妻へラはヘラクレスのことを殺したいほど憎んでいたが、彼がへべと結婚したことでヘラの怒りは和らいだという。

　ちなみにへべの仕事である神々の給仕役は、のちにゼウスの愛人である美少年ガニュメデスに引き継がれている。その理由にはさまざまな説があるが、給仕の仕事中にへべが転倒し「あられもない姿」を神々に見せてしまったため、ゼウスが怒って給仕役を交代させたという説が有力である。

ユウェンタス：ローマでのへべ

　ローマ神話においてへべと同じ存在とされているのは、青春の女神ユウェンタスである。だが彼女は、男女両性の若き美をあらわすへべと違い、成年男子の守護神となっている。ローマにおいては、少年が成人の儀式を行うときに、ユウェンタスに賽銭を奉納する習慣があった。

> ちょっと失敗しただけで給仕役を降ろされてしまうなんて、ゼウス様は厳しいですわね……あれ？　でも、へべ様ってこのあと英雄のヘラクレスさんと結婚してますよね……ずるいっ、寿退社じゃありませんの〜！

オリュンポス神族

illustrated by 繭咲悠

それでも私は信じてる
アストライア

長音表記：アストライアー　ローマ名：アストラエア　英語名：アストレア

星空を舞う正義の乙女

　ギリシャ神話では、夜空に輝く星座「乙女座」の正体は女神だとされることが多い。その有力な候補のひとりが、「星の乙女」という意味の名を持つアストライアだ。彼女は正義の女神であり、人間の悪しき行為を発見して裁く存在だ。日本では子供が隠れて悪事を働くことをたしなめるのに「お天道様が見ている」という表現を使うが、ギリシャ神話ではさしずめ「お星様が見てる」というわけだ。

　アストライアは、ギリシャ神話最古の詩人のひとりヘシオドスの著書『仕事と日』に登場する。彼女は最高神ゼウスと掟の女神テミス（➡p106）の娘で、悪しき行為が行われたとき、それを最高神である父ゼウスに報告する役目を負っているという。また、「正義」の中身にもアストライアはこだわる。もし人間が不当な「正義」を振りかざし、正しくない裁きをしたときは、これを正義の女神である彼女に対する敵対行為と判断する。そのとき彼女は、もやにまぎれて人間界に降臨し、その国に災いを運ぶとされている。

腐敗する人間界と正義の女神

　正義に対する厳しい見方から、アストライアは人間に対して非常に厳しい女神であるように見える。だが実は、彼女はすべての神々のなかでもっとも人間を愛し、信じていた神なのだ。

　『仕事と日』の作者である詩人ヘシオドスは、人間の種族は神に作られては滅亡するというサイクルを繰り返し、現在の種族は5つめの「鉄の種族」であると説明する。それまでに「黄金の種族」「銀の種族」「銅の種族」「英雄の種族」が、順番に繁栄と滅亡を繰り返してきた（➡p173）。

　「黄金の時代」では、人間は信心深く、神々と一緒に暮らしていた。だが「銀の種族」以降の人間は、神を敬わないようになっていき、社会を腐敗させていってしまう。神々は地上での暮らしをあきらめ天界に帰って行くが、アストライアだけは地上に残り、人間に正義を説き続けた。だが「鉄の種族」になると、人間どうしの争いは手がつけられなくなり、さしもの彼女も天に逃れて乙女座になったのだという。彼女は今でも天空から、地上で正義が行われるよう祈り続けている。

> 12星座の「てんびん座」になってる天秤は、アストライアはんの天秤なんや。ギリシャ神話で天秤ちゅうと、掟の女神テミスはんの天秤を連想する人が多いんやけど、アストライアはんのほうで間違いないで。

illustrated by きゃっとべる

いろんな "美" お届けします
カリス

長音表記：カリス（複数形カリテス）　**ローマ名**：グラティア　**英語名**：グレイス

美の女神たち

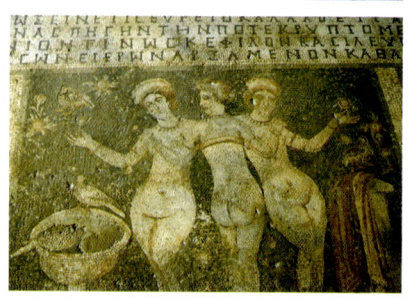

　ギリシャ神話の女神たちは、人間の基準から見ると、とてつもない美人ぞろいであるらしい。そのなかで頂点に立っている女神の1柱が、オリュンポス十二神のひとり、美の女神アプロディテ（→p44）であることは疑う余地がないだろう。

　オリュンポス十二神のような重要な神の多くは、例えば結婚の女神ヘラ（→p22）の部下エイレイテュイア（→p147）のように、自分に付き従う従者のような下位神をもっている。アプロディテの部下のなかで有名なのは、上司と同様に美の女神であるカリスたちだ。カリスとは彼女たちひとりひとりに与えられた役職名のようなもので、彼女たち全員を集団として語るときは複数形のカリテスを使う。

トルコ南部、ナルルクユの遺跡に描かれたカリスたちのモザイク画。冠をかぶり衣を脱いで、裸になっている。撮影者：Klaus-Peter Simon

　カリスたちの外見上の特徴は、美しく長い髪である。ギリシャでは女性の髪が美しいことを「カリスにも劣らない」と表現した。また、当初はキトーンというゆったりとした衣を着て、頭に冠をかぶった姿で表現されていたが、しだいに外見の解釈が変化し、肩を組んだ全裸の女性3人組として描かれることが多くなった。

カリスたちのお仕事

　神の世界において、カリスたちは多くの神々と関わりさまざまな役目を任されているが、もっとも大事な役割は上司であるアプロディテの美を保つことである。特に、アプロディテが美しく着飾ろうとするときはカリスたちの出番となる。カリスたちはアプロディテが体を水や湯で清めるのを手伝い、水から上がると、肌を永遠に潤す霊力を持ち、かぐわしく腐ることのない香油を肌に塗りつける。そして彼女をもっとも高価な宝石で飾り、目の覚めるような豪華な服と、アプロディテの神の道具である、相手を魅了する腰帯を身につけさせて送り出すのだ。

　オリュンポス山の宮殿では、カリスたちの役目は宴のときに舞い踊って出席者を楽しませる踊り子である。ちなみにこの舞台にあがるとき、カリスたちは神だけが使う「おしろい」を肌に塗るのだが、もしこれを人間に使うと、背は高くなり、体形がふくよ

オリュンポス神族

illustrated by ぱるたる

かになり、肌の色がとったばかりの象牙のように白くなるという。

そしてカリスたちは技芸、すなわちものづくりの神でもある。美の女神であるカリスがものづくりに関わるのは、カリスたちは外見だけでなく心にも美を与えると考えられていたからだ。これが技術者たちに好まれて信仰を集めるうちに、技術の女神という属性が与えられたといわれている。

カリスたちがものづくりに参加する場合、作り出すものはやはり「美」に関わるものが多い。神話のなかでは、主人であるアプロディテに神の衣を、若き神である酒神ディオニュソスにすばらしいマントを贈るところなどが描かれている。

カリスたちのメンバー

カリスたちの人数について、当初は決まった定員数は存在していなかったが、最初に話したように、しだいにカリスたちは3人組の女神だという説が有名になっていった。だが3人の名前については無数のバリエーションがある。

本書が土台にしている詩人ヘシオドスの『神統記』では、タレイア（花盛り）、エウプロシュネ（喜び）、アグライア（輝き）の3柱がカリスだったが、ほかにもカリスの一員だとして有名な女神がいるので、まとめて紹介する。

■カリスだとされる女神たち

名前	名前の意味	名前	名前の意味
タレイア	花盛り	カレ	美女
エウプロシュネ	喜び	アウクソ	成長
アグライア	輝き	ヘゲモネ	女王
パテシア	万物の女神	クレタ	呼ばれる女
パエンナ	輝く女	カリス	優雅

皆が求める美の女神たち

心身の美を守護するカリスたちは、ほかの神々にとっても、男女を問わず非常に魅力的な存在らしい。彼女たちがいれば、何もかもが美しく、魅力あふれるものに変わるからである。例えばゼウスの妻ヘラの彫像のひとつには、額に輪状のアクセサリがはめられ、そこにはカリスたちが描かれている。

ある神話では、ゼウスの妻であるヘラが、夫ゼウスを眠らせているあいだに策略を実行するために、眠りの神ヒュプノスに協力を依頼したことがあった。ヒュプノスは最高神に逆らうことを嫌がったのだが、カリスのひとりをヒュプノスの嫁にすると申し出ると即座にその役目を引き受けたという。

また、ギリシャ神話最古の物語『イリアス』では、鍛冶神ヘパイストスの妻はアプロディテではなく、カリスのひとりだということになっている。カリスは美だけでなく技芸を守護することから、職人の神であるヘパイストスと相性がよいと、通説を改変してしまったのである。この妻とはアグライアという名前のカリスで、額にあでやかなリボンを巻いた姿で登場する。

> カリスのみなさんのいちばん有名な神殿は、ギリシャ中部のオルコメノスにあるそうです。この神殿ではカリスさんたちは「隕石」の姿で崇拝されていると……なぜ美の女神様のご神体が隕石なのですか!?

ヘラ様の男神品定め⑤ 伝令神ヘルメス

> この子の足の速さは特筆ものですよ。
> 遠くにいる相手に何かを伝えたいときや、プレゼントを贈りたいときは、うちのイリスに頼むか、ヘルメス君に頼むのが迅速確実なの。
> いわばオリュンポスの宅急便ね。

　ゼウスと、プレアデス姉妹の長女マイア（➡p138）のあいだに生まれた息子。フットワークの軽さが特徴で、神々の伝令役という大任をつとめながら、旅や商業の守護神、死者の魂の案内役、試練に臨む英雄たちの後援者といった仕事をこなしている。また、生まれてすぐに牛を盗んだという逸話から、泥棒の神としても信仰される。

　ヘルメスは、頭に羽根付き帽子、足に羽根付きサンダルをはき、手に杖を持った姿で描かれることが多い。この杖はケリュケイオン（ローマ名はカドゥケウス）といって、神々の伝令役であることを証明するアイテムである。

> ギリシャ神話の物語っちゅうのは、たいてい人間の英雄が主人公や。だから英雄の後援者をやってはるヘルメスはんは、しょっちゅう神話の英雄物語に出てくるで。

> 神様のなかには、あまり人間世界に降りていかない人も多いですから〜。人間界に何かかするときに、ヘルメス君みたいな子がメッセージボーイをやってくれると、とても助かるんです〜。

> たしかにびっくりするくらい働き者ですけど、「泥棒の神様」ってどういうことなの……そっちの方面で働き者だと、いろいろとよくない気がしますわ〜!?

結婚の女神ヘラ	冥界の女神ペルセポネ	知恵の女神メティス
仕事ができる男というのは大事な基準ですわよ。ヘルメスは確実に仕事をこなすし、女遊びも少ないし、十一神のなかではよい選択ですね。	ヘラ様のおっしゃることはわかるのですけど、ヘルメスさんはいつも世界中を飛び回っているので、夫婦の時間が少なくなってしまいそうです。	世界の統治は、きれいごとだけではできません〜。それをゼウス様以外でいちばんよく「わかってる」のがヘルメス君。頼りにしてますよ♪

あなたのために歌ってあげる♪
ムサ

長音表記：ムーサ、ムーサイ（複数形）　**ローマ名**：カメナ　**英語名**：ミューズ

詩人があがめる9人姉妹

ギリシャ神話最古の詩人として知られるヘシオドスの代表作『神統記』は、
「ヘリコン山のムサ（詩歌女神）たちの賛歌からはじめよう」
という書き出しから始まり、彼女たちがいかに愛らしく、軽やかに歌い踊り、神話を歌いあげるかが書かれている。

このムサというのは、古代ギリシャの詩人たちに深く信奉されていた、芸術の女神たちである。ムサは単数形で、複数形はムサイとなる。日本では長音表記を省略しない形の「ムーサ」という表記のほうがよく知られている。

一般的にムサたちは詩と音楽の女神として知られているが、実際には「人間のあらゆる知的活動」を守護する女神である。詩や音楽、絵画などの芸術活動はもちろん、歴史や天文学などの学術的な分野もムサたちのなわばりである。彼女たちが何人組の女神なのかについては複数の説があり、3柱とも4柱とも7柱ともいうが、詩人ヘシオドスは9柱の名をあげている。後世ではこの9柱説が主流になった。

彼女たちの生まれについても設定が錯綜している。ヘシオドスの『神統記』では、記憶の女神ムネモシュネが9日9晩ゼウスと交わって9柱のムサを産んだというロマンチックな神話が語られているが、調和の女神ハルモニア（→p76）の娘だとする説、神話最古の夫婦である天空神ウラノスと大地母神ガイア（→p84）の娘だと説明している神話もあるようだ。

ムサたちの名前と役割

ヘシオドスが『神統記』で紹介する9柱のムサたちは、名をクレイオ、エウテルペ、タレイア、メルポメネ、テルプシコラ、エラト、ポリュムニア、ウラニア、カリオペという。

■ムサたちの領分と持ち物

名前	領分	領分のしるし
クレイオ	歴史	巻物、巻物入れ
エウテルペ	叙情詩、音楽、笛	笛
タレイア	喜劇	マスク、ツタの冠、羊飼いの杖
メルポメネ	悲劇	靴、悲劇のマスク、ぶどうの冠
テルプシコラ	踊り、合唱	竪琴
エラト	叙情詩、独唱叙情詩、歌	竪琴
ポリュムニア	宗教音楽、物まね	ヴェール
ウラニア	天文学	杖、天球儀、コンパス
カリオペ	叙事詩	カンバン、鉄筆

このなかでカリオペが第一等の位にあり、それは彼女が貴族の雄弁を守護する女神だからだ。なお『神統記』では、カリオペ以外の8柱の性格づけはなされていない。

『神統記』から500年ほどあと、ギリシャがヨーロッパの大国「古代ローマ」の支配下に入ったあと、ムサたちひとりひとりの取りしきる領分が決まってくるようになり、彼女たちはよく「自分の領分のしるし」を手に持って絵や浮き彫りに描かれるようになった。彼女らの領分や「領分のしるし」についてはいろいろな説があるが、前ページの表にまとめたものが代表的である。

ムサの神話

ムサたちは神話にめったに登場せず、登場しても脇役であることが多い。例えば女性の顔と鶏の体を持つ怪物セイレンは、ムサに音楽の腕比べを挑み、敗れて罰として怪物に変えられた存在だ。また、半人半獣の怪物サテュロスが音楽の神アポロンと笛の勝負をしたときは、ムサが審判をつとめている。

無謀にもムサに音楽勝負を挑んだ者もいる。タミュリスという名手は、敗れて視力と声を奪われ、堅琴の技術まで忘れさせられた。彼が無謀な勝負に挑んだ動機は、「勝ったら9人のムサたちとかわるがわる9晩過ごす」ためであったという。

ムサと詩の文化

ムサたちは、ギリシャ神話で大きな活躍を見せることはほとんどないが、そもそも神話時代の「歴史」も、神話を伝える「詩や歌」もムサたちの領分なので、最初に説明した『神統記』の序文のように、多くの神話に名前が登場する。

詩のなかでムサに祈りムサを讃えるならわしは、3世紀ごろからヨーロッパにキリスト教が広まると徐々に下火になったが、キリスト教以前の文化を復興させる活動「ルネサンス」が始まるとふたたびよみがえった。

イタリア・ルネサンスのさきがけといわれた詩人ダンテは、キリスト教の天国と地獄を舞台にした詩『神曲』で「歌を歌うときにムサに助力を請う」ということをしており、この意味でもルネサンスのさきがけというにふさわしい。以来、今日にいたるまで、ヨーロッパのいろいろな言語でムサ（英語と仏語ではミューズ）というと、それは女神のムサを指すだけでなく、詩、詩人、詩的霊感、あるいは「詩人にひらめきを与える女性」を指す言葉になっている。

古代ギリシャにおいてもムサたちは有名な女神だったが、中世ヨーロッパでは、ムサの名前が一般名詞になるほど広く知られる存在になっていたのだ。

演奏会を楽しむムサたち。絵画などではムサたちの文筆、学問についての特徴は無視され、みな歌手や音楽家として描かれることが多い。16世紀イタリアの画家ティントレット画。

> 美術館のことを英語で「ミュージアム」って呼ぶのは知ってますよね〜？
> この名前はムサさんたちの英語名「ミューズ」から来ています〜。昔は美術館＝芸術の女神様の神殿、だったんですよ〜。

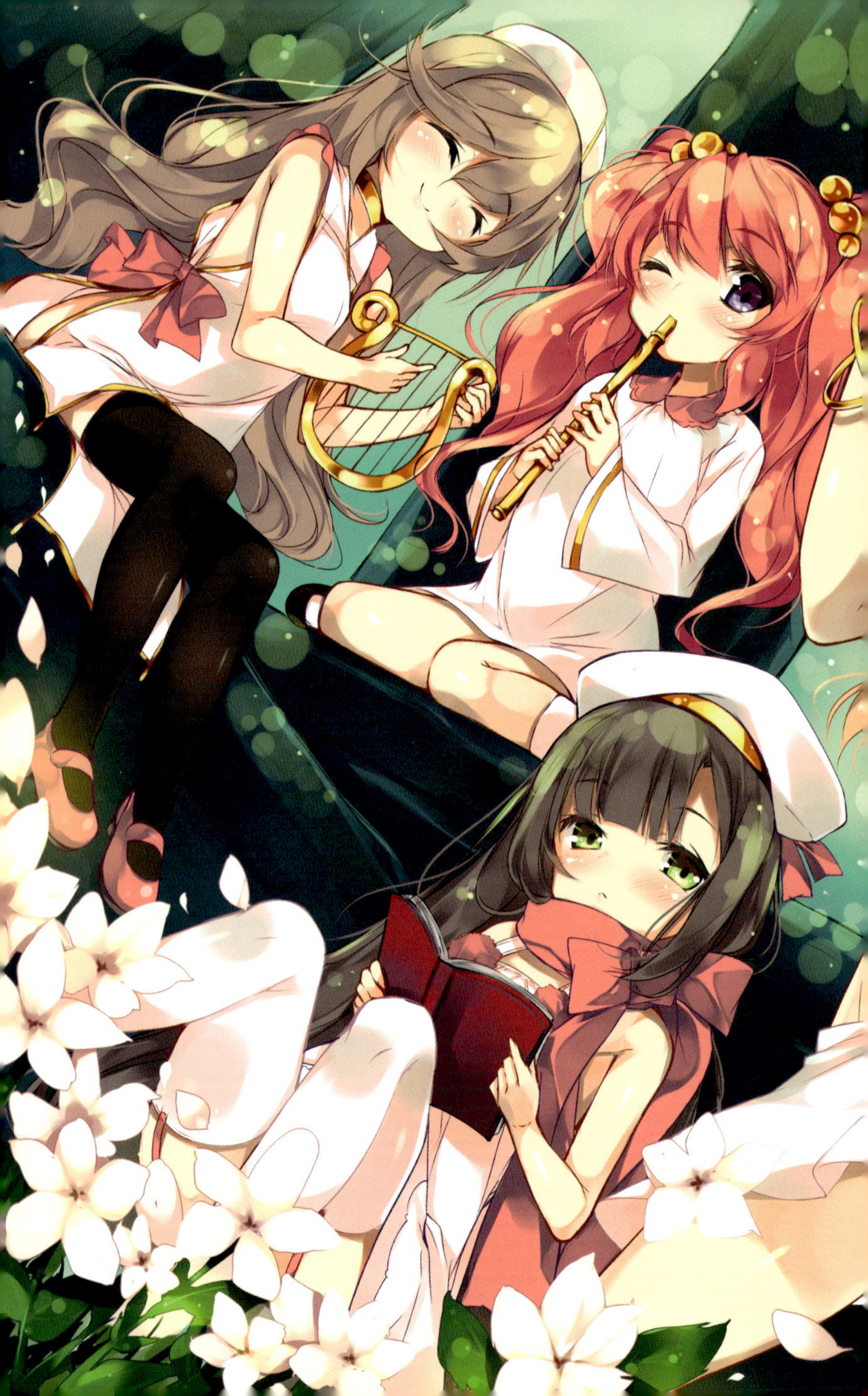

illustrated by 繭咲悠

姉妹で一年中大忙し
ホラ

長音表記：ホーラ、ホーライ（複数形）　**ローマ名**：ホーラ、ホーラエ（複数形）

オリュンポス神族

時間と秩序を管理する姉妹

ギリシャ神話では、炎や水などの自然物、風や雷などの気象現象はもちろん、春や夏という季節そのものも神格化されて神となっている。それがホラという女神たちだ。ムサ（→p62）たちと同じく、日本では長音記号をつけたホーラという名前のほうが有名である。また、ホーラとは彼女たちの役職名のようなもので、個人の名前は別にある。そしてホラ全員のことをまとめて呼ぶときは、ホライ（ホーライ）という複数形が使われる。

ディオニソスの後ろを歩くホラたち。1世紀ごろに制作、ルーブル美術館蔵。

ホラたちは若く美しい女神である。手に季節の産物や花の咲いた枝、穀物の種、葡萄の木などを持ったり、美しい髪に金の小環を付けた姿で描かれている。

ホラたちのメンバーの内訳や人数、職能には大きく分けてふたつの説がある。

季節の女神としてのホラ

はじめ、ホラたちの役割は大地に恵みの雨を降らせることに限られていた。やがてホラたちは季節の巡りを守護する女神だという概念が生まれ、それがさらに推し進められて、季節そのものを神格化した女神と考えられるようになった。

■季節を3つに分けるときのホラたち

名前	領分	季節
タロ	芽生え	春
アウクソ	生長	夏
カルポ	収穫	秋・冬

■詩人ノンノスの定めたホラたち

名前	季節	天文
エアル	春	春分点
テロス	夏	夏至点
プティノポロン	秋	秋分点
ケイモン	冬	冬至点

日本では季節といえば春夏秋冬の4つがあるが、ギリシャではこの4つの分け方にはあまりこだわらない。むしろ農業に密接に関係する植物の生長サイクルをもとに、芽生え、生長、収穫の3シーズンに分けるのが一般的だった。季節になおせば、春、夏、秋と冬の3つということになる（右上表組参照）。

また、ギリシャ神話の歴史のなかではもっとも新しい時期である、4〜5世紀に活躍した詩人ノンノスは、酒神ディオニュソス（→p99）を主人公とした物語『ディオニュソス譚』において、天文学をベースに四季を4つに分割し、上の4柱のホラたちを四季に当てはめている。

illustrated by 奈津ナツナ

秩序の女神としてのホラ

季節の女神であるホラたちの働きが、農業に密接に関係していることは66ページで説明したとおりだ。農作業においては、種まきや土の手入れなどをどの時期に行えばいいのかを知ることが非常に重要である。

そもそもホラ（Hora）という名の元になったのは「一定の時間」を意味する古代ギリシャ語で、のちに英語のhour（時間）の語源になった単語である。このことからホラは、時間の秩序ある運行を担当する女神たちと考えることができるだろう。季節がつつがなく巡るよう気を配るのがホラたちの仕事であり、ホラたちが定めた秩序ある季節にしたがって農作業を行うことで作物が豊かに実るのだ。

エウノミア、ディケ、エイレネの3人。1887年スペインにて制作、カタルーニャ美術館蔵。

■『神統記』のホラたち

名前	領分
エウノミア	秩序
ディケ	正義
エイレネ	平和

そのためホラたちは、単なる季節の女神という領分だけでなく、秩序の女神という性質も持つとみなされている。ギリシャ神話最古の文献のひとつであるヘシオドスの『神統記』や当時の農家では、当時からこの秩序の女神という属性を重視しており、ホラたちは右上表の3姉妹だと解釈されていた。ヘシオドスによればホラたちは最高神ゼウスと掟の女神テミス（→p106）の娘であり、慣習や掟を守らせる母神の領分と、秩序、正義、平和という娘たちの領分が非常に近いことが理解できる。

忠実で優しい黒子役

ギリシャ神話においてホラたちは、物語の主役ではなく、脇役として登場することが多い。主要な神々に侍女として仕えていたり、英雄や弱者を優しく世話する役回りがよく見られる。例えば英雄物語『イリアス』の記述によると、ホラたちは天空の門番であり、オリュンポス山から神々が戦車で出かけるとき、翼ある馬を戦車につないだり、厚い雲を左右にかき分けて道を作る仕事を任されている。

伝令神ヘルメス（→p61）の誕生神話では、女神マイアが産んだヘルメスを産着で包んで保護したのがホラだった。酒の神ディオニュソス（→p99）がゼウスのふくらはぎから生まれたときも、ホラたちがその養育を担当したという物語もある。

ただしホラは神々に忠実であるがゆえに、人間を害する計画をも手伝った。ゼウスが人間を破滅させるために美女パンドラ（→p74）を送り込んだとき、ホラはパンドラを花輪で飾って、人間を苦しめるためその美貌をより引き立てたのだった。

> 季節の女神様って、春の暖かい空気とか、だんだん寒くなる空気の冷たさのような感じで、気候をあらわす神様なのかと思ったら、時間が正しく流れるようにする女神様なのですね。

ヘラ様の男神品定め⑥ 鍛治神ヘパイストス

> ヘパイストスはわたくしと夫ゼウスの子供です。見た目はイケメンではないですが、真面目でいい子よ？ そういえばアポロドロスという神話作者は「わたくしが夫との性交をせず単独で産んだ子供」だとも書いていますね。ま、ご想像に任せますわ。

　ゼウスとその正妻ヘラの息子であるヘパイストスは、火の神であり、鍛治と技術の神でもある。
　彼は美男美女ぞろいの神々のなかでは珍しく醜い外見の持ち主で、片足に障害があり、足を引きずって歩く。しかし鍛治の技術は超一流であり、ギリシャ神話に登場する特別なアイテムの多くは彼の作品である。
　ヘパイストスは女性にはもてないが、鍛治の実力で最高の美女アプロディテを妻にするなど女性に対しては積極的である。あるときは処女神アテナに熱烈なプロポーズをするが拒絶され、思いあまって精液を彼女にかけてしまったことがある。

> ええ～っ!? ちょ、せ、せ、せーえきかけちゃったって、いったいどういう状況ですの～っ!?

> 実はアテナ様がヘパイストス様の仕事場に来たときにな、あまりの美人さに思わずムラっときて、強引にエッチを迫ろうとされはったんや。で、思わずアテナ様の足に漏らしてしまったと……。

> みなさん、ヘパ君にこの話、聞いちゃだめですよ～？ 男の子にとって「早い」か「遅い」かは死活問題なんです～。心が傷ついて"たたなく"なっちゃったら大変です～。

結婚の女神ヘラ

たしかに外見には難がありますけれど、仕事の腕は確かですし、女遊びもしませんよ？ ふしだらな女などではなく、もっと真っ当なお嫁さんに来てほしいのだけど。

神の娘パンドラ

父親をパートナーとして評価するってすごく難しいですわ……。私にとってはとにかく口うるさい父親ですし……一般的には、もっとハンサムな男性のほうがいいのでは？

知恵の女神メティス

ヘパ君はご両親を敬愛していて、ふたりのためなら何でもしてくれます～。こういう子がいると助かるんですよねぇ～、ええ"なにかと"助かるんです（ニヤリ）。

冥界でも、ずっと友だち
パラス

長音表記：パラス　ローマ名：パラス

女神の異名とパラスの意味

　ギリシャ神話の神々は、本書でも紹介している本来の名前のほかに、なんらかの別名を持つことがある。技術と戦いの女神アテナ（→p28）の場合は「パラス・アテナ」という別名がある。パラスとは槍のことで、アテナの戦いの女神としての性質を強調した別名である。

　だがギリシャ神話の末期、2世紀ごろの伝承によると、このパラス・アテナという名前は、パラスという女神の名前に由来するものだという新しい伝承が生まれ、複数の文献で語られるようになっている。

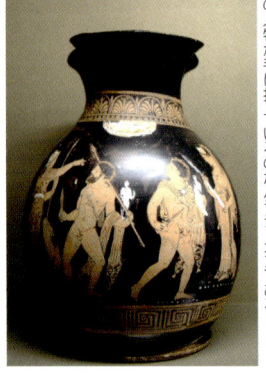

　2世紀の学者アポロドロスの著作とされる『ギリシア神話』によると、ゼウスの頭から生まれたアテナは、海神ポセイドンの息子トリトンの娘、パラスと一緒に育てられ、軍事の教練にふたりで熱中するなど仲よく育っていた。ところがあるときふたりは、どちらがより強いかでケンカをしてしまったのだ。

　最高神ゼウスは愛娘の戦いぶりを遠くから眺めていたが、パラスの強烈な打ち込みがアテナの体をとらえそうになり、とっさにアテナに向かって神の防具アイギスを投げつけて娘の身を守ろうとした。ところがこれにパラスが驚いて防御をおろそかにしてしまい、アテナの槍がパラスの胸を貫いてしまう。こうしてパラスは命を落としてしまったのだ。親友の死に嘆き悲しんだアテナは、パラスに似た木製の像「パラディオン」を作り、親友の名前を自分の名前に加え、パラス・アテナと名乗るようになったという。

女神をかたどる守護神像

　アテナが作った「パラディオン」は、古代ギリシャやローマで、都市を守る像としてご神体のような扱いを受けていた木像であり、この神話の誕生以前は、アテナの像だと信じられていた。アポロドロスの時代の神話作者たちは、古くから存在する宗教的物品に新しい意味を付け加える過程で、新たな女神を作ったのだ。

　フランス、ルーヴル美術館蔵の壺絵より、都市トロイアからパラディオンを盗み出すオデュッセウスたち。中央の人物が手に持っているのがパラディオンである。

アテナ様をパラス・アテナと呼ぶ理由には「パラスっていう巨人を殺してその皮で盾を作ったから」という話もあるそうですわ。アテナ様って理知的で気高いイメージがありましたけれど、わりとワイルドですわね……。

illustrated by ぎうちょこ

一家総出で癒します！
ヒュギエイア

長音表記：ヒュギエイア　ローマ名：サルース　英語名：ハイジア

人から神になった癒しの女神

　ギリシャ神話では、特別な才能を示した人間が、神々によって不老不死の神に引き上げられることがある。太陽神アポロン（→p35）の息子である医神アスクレピオスは、もとは人間の医師だった。そしてアスクレピオスの娘であるヒュギエイアも、父と一緒に人間から医療の神になっている。

　ヒュギエイアは医療という広いジャンルのなかで、特に健康と衛生を守護する女神である。「ヒュギエイア」とは古代ギリシャ語で健康と衛生を意味する言葉だ。神話の作者がこの医学上重要な概念を神格化するため、医神アスクレピオスの娘の名前として採用したものだと思われる。

　ちなみにアスクレピオスの家族は、以下のように全員が神となっている。

■神になったアスクレピオスの家族

名前	関係	能力
エピオネ	妻	看護と鎮痛の女神。患者から謝礼や進物を受け取る受付係
パナケイア	次女	薬剤師の女神。彼女の名前は万能薬という意味で使われる。
イアソ、アケソ、アナグル	三女〜	治療の助手。
マカオン、ポダレイリオス	息子	軍医の神。

　まだ人間だったころのアスクレピオスは、父アポロンの援助を受け、アポロン神殿で人々を治療していた。この診療所ではアスクレピオスの家族全員がアシスタントとして働いていたが、ヒュギエイアの役目は、父が治療に使う蛇を飼育することだった。蛇は、脱皮して新しい体となるため、復活、再生を示し、また多くの伝説などから、守護、魔力、神秘、大地の力などを象徴しているのだ。

　ヒュギエイアのシンボルは「ヒュギイアの杯」といい、盃の柄に巻き付けた蛇が盃の中の餌をなめている図案で、餌から薬へと転じて薬学のシンボルマークになっている。このシンボルは、日本ではほとんど見られないものの、薬学のシンボルとして、第1回全米薬学会議の記念切手（1948年・キューバ発行）や、諸外国での薬局の看板として使われている。

ドイツの薬局の看板には、Aの文字の中にヒュギエイアの杯が描かれている。

　ヒュギエイア様のお父様は、それはすごいお医者様だったそうですよ。なんでも死者を復活させる能力まであったとか……って、それって神様怒りません!?　……あ、やっぱりゼウス様に殺されちゃってるんですね。

illustrated by 木村樹崇

開けたら最後に女神様！
パンドラ&エルピス

長音表記：パンドーラー／エルピス　**ローマ名**：パンドラ　スペース　**英語名**：パンドラ　ホープ

人間に災厄と希望を与えた者

　ギリシャ神話の物語に登場する「パンドラの箱」とは、神々からパンドラという女性に与えられ、人間に無数の災厄と、その中に最後まで残っていた「希望」をもたらした箱である。実はこの箱の持ち主パンドラは普通の人間ではない。そして箱の中に最後まで残っていた「希望」とは、エルピスという名前の女神なのだ。

　パンドラは、鍛冶神ヘパイストス（→p69）が土から作った女性で、人とも神ともいえない、いわば神造人間と呼ぶべき存在だ。彼女はアプロディテからもらった美貌と、アテナからもらった家事の能力を持つ才色兼備の娘だったが、ヘルメスが与えた狡猾さのため、現代的に言うなら小悪魔的な魅力を持っていたと思われる。

　彼女は、神々から「絶対に開けてはならない」という箱を持たされて、人間と仲のいいエピメテウスという神のもとに送り込まれた。彼の兄はパンドラの存在が罠だと知っていたが、エピメテウスは兄の忠告を聞かずにパンドラを受け入れ妻にした。そしてパンドラは、神々から開けるなと忠告されていたあの箱を、好奇心から開けてしまったのだ。箱の中からは疫病、悲嘆、欠乏、犯罪などの災厄の概念が飛び出し、これにより人間は悪しき存在になってしまったのだという。

　このとき、箱のなかに最後まで残っていたのが「エルピス」である。エルピスは夜の女神ニュクス（→p88）の子供で、英語では"Hope（希望）"と訳され、人類の未来に残された希望と解釈する訳が多いが、近年ではエルピスを「予兆」と訳す説が主流である。人間の未来には滅びしかないが、エルピス（予兆）が残ったおかげで、人間は未来を知ることができず、滅びに絶望せずに暮らせるという解釈である。

スペース：ローマでのエルピス

　古代ギリシャではエルピスは女神というより概念に近い存在だったが、ローマでは信頼の女神フィデス、幸運の女神フォルトゥナとともに3柱1組で祀られ、専用の神殿が建てられるなど人気のある神だった。のちにローマが皇帝をいただく帝国となると、スペースは皇帝の守護神の1柱にも数えられたという。

> パンドラちゃんの箱ですけどね〜、ホントは古い伝承では、箱じゃなくって「壺」だったんだそうですよ〜。古代ギリシャ語読みだと、箱は「ピュクシス」、壺は「ピトス」……どちらも格好よくてずるいですねぇ。

illustrated by U35

夫婦はおそろい蛇の体
ハルモニア

長音表記：ハルモニアー　ローマ名：コンコルディア　英語名：ハーモニー

父母の罪を負わされた女神

　ギリシャ神話にはハルモニアという名前の女神がふたりいる。ひとりは軍神アレスと美の女神アプロディテの娘であり、もうひとりはカリス（→p58）の一員ともされ、英語で「調和」を意味する言葉ハーモニーの語源となった調和の女神だ。時代が進むにつれて、古代ギリシャでは両者は同じ存在だと考えられるようになっていったが、本項では別々の存在と考え、前者のハルモニアを紹介する。

　46ページでも紹介したように、美の女神アプロディテは、浮気相手である軍神アレスとの密会現場を夫ヘパイストスに押さえられたことがある。だが、そんな状況でも"すること"はしていて、この交わりから生まれたのがハルモニアなのである。

　のちにハルモニアは、古代ギリシャの主要都市のひとつ「テバイ」（テーベ、テベイ）を作る英雄カドモスの妻になった。結婚式は、オリュンポスの神々もみな参加するという盛大なものになったが、これをよく思わなかったのが、アプロディテの本来の夫であるヘパイストスと、アプロディテとアレスの両方と仲が悪い女神アテナ（→p28）である。彼らは表面上は結婚を祝うふりをして、アテナは黄金の衣を、ヘパイストスは首飾りを贈った。ところがこれは、両者の悪意が隠された呪いの品だったのだ。

　これ以降、ハルモニアの子供たちに、不幸な巡り合わせから本人は悪くないのに神の罰を受けるという凶事が相次いでしまう。夫婦はこれらの不幸が神々の怒りによるものだと悟ると、テバイを子孫に預けて放浪の旅をし、短い幸せを手に入れた。ハルモニアの父、軍神アレスは夫婦のこれまでの苦労をいつくしむため、夫婦を青い斑点のある黒蛇に変えたといわれている。

コンコルディア：ローマでのハルモニア

　ローマでは協調と相互理解の女神コンコルディアに調和の女神ハルモニアの神話があてられ、同じ神だと設定された。都市をひとつの巨大な家族とみなし、チームワークを重視するローマでは、コンコルディアを都市の住民をひとつの集団にまとめあげる女神としてギリシャ以上に重視していたという。

> 神様の呪いを知って王家から離れるなんて、ハルモニアさんたちは子供思いなんですね……えっ!?　呪いは宝物のほうにかかってるから、むしろ王家が危険なんですか!?　大変ですー！

オリュンポス神族

illustrated by 斎創

イケナイ風にさらわれちゃった♡
クロリス

長音表記：クローリス　ローマ名：フロラ、フローラ　英語名：フローラ

移籍で出世した花の女神

　クロリスは、ギリシャ神話では無名で、無数に存在する自然の精霊「ニンフ」（→p151）のひとりにすぎない。だが、彼女の別名「フローラ」を聞いたことがある人は多いだろう。フローラとは、ローマ神話の花の女神の名前である。彼女はローマ神話によれば、ローマに渡ってから女神に昇格したという珍しい存在なのだ。

フローラ：ローマでのクロリス

　イタリアで古くから信仰されていた女神フローラは、花の女神であり、大地の実り、春の到来をあらわす、優雅で美しい女神だった。そんな彼女がもともとギリシャではニンフにすぎなかったと主張するのは、1世紀の東欧で活躍したローマ人詩人オウィディウスである。

　彼の作品『祭暦』によれば、クロリスはもともと野のニンフだったが、西風の神ゼピュロスがその美貌を目にとめ、クロリスを力づくで誘拐してローマに連れ去ってしまった。略奪婚からはじまった結婚生活ではあったが、クロリスあらためフローラとゼピュロスの夫婦仲は良好で、暴れん坊であったゼピュロスの激しい性格はフローラのおかげでかなり和らいだとされている。フローラとゼピュロスのあいだには、カルポス（果実）という息子が誕生している。

ゼピュロスによるフローラの略奪。フランス人画家ウィリアム・アドルフ・ブグロー画。

　ギリシャ神話には、**クロリスが略奪婚され、カルポス（果実）を産んだという神話**はない。一方で、**西風の神ゼピュロスが季節の女神ホラの誰かを愛し、カルポス（果実）が生まれた**という神話なら存在し、オウィディウスはあきらかにこの神話を参考に物語を作っている。つまりこの神話では、ローマの神にギリシャの物語をあてるときに、対応するギリシャの女神をあてはめるのではなく、対応する新しいニンフを設定するという、新たな手法が使われた可能性が高いのだ。

> ギリシャ神話にはクロリスって名前の女性がもうひとりいるで。ママさんが「私のほうが女神レトより子だくさん」とレト様を馬鹿にしたせいで、アルテミス様に兄弟を皆殺しにされてもうたハードな運命のお方や。

illustrated by PikoMint

オトコノコなのにオンナノコ!?
ヘルマプロディトス

長音表記：ヘルマプロディートス　ローマ名：ヘルマプロディトゥス

男女両性をあわせもつ神

ここで紹介するヘルマプロディトスという神は、両親の名前を合体させた名前からもわかるとおり、伝令の神ヘルメス（➡p61）と美の女神アプロディテ（➡p44）の"息子"である。なぜ男性が本書で紹介されているのかというと、彼はとある経緯から「両性具有」になってしまったからだ。

青年が両性具有になったわけ

美男美女で知られる両親によく似た美しい顔立ちだった彼は、イダ（イデ）の山のニンフたちによって育てられていた。15歳になると、彼はふるさとの山から離れ、見知らぬ国々を旅していった。

旅の途中、彼は美しい泉で水浴びをしようとする。そこに住んでいたニンフのサルマキスは、彼の美しさに惹かれ、いきなり彼に結婚しようと迫った。ヘルマプロディトスは彼女の求愛を拒絶し、サルマキスはその場から立ち去るのだが、あらためて泉で水浴びをしようと泉に入ったヘルマプロディトスに、身を潜めていたサルマキスが襲いかかり、強引に性交渉を行った。そしてサルマキスは「神さま、私から彼を、また彼から私を、何者も引き離すことができないようにしてください」と強く祈ったところ、なんとこの願いが神々に聞き入れられてしまうのだ。

ヘルマプロディトスの彫刻の代表作「眠れるヘルマプロディトス」。盛り上がった乳房と男性器が確認できる。フランス、ルーヴル美術館蔵。撮影者：Jastrow

その結果、ふたりの体は混ざり合い、ヘルマプロディトスは豊かな乳房と男性器をあわせもつ、いわゆる両性具有の状態になってしまった。いまや「彼女」にもなってしまった「彼」は、羞恥心のあまり悲観的になり、「この泉の水を浴びた者はみな自分と同じ体になってしまえ」という、はた迷惑な呪いをかけたとされている。

ヘルマプロディトスの神話は、古代ギリシャの彫刻作家にとって恰好の題材となった。女性的な柔らかさと男性的たくましさ、そして男女両方の性器というテーマに多くの彫刻家が挑み、その作品は現代にも多く残されている。

> 両性具有じゃなくて、性転換しちゃった人もいますよ～。テイレシアスっていう予言者さんがそれで、「男性より女性の体ほうが、エッチが9倍気持ちよかった」という衝撃的な体験談を話しています～。

オリュンポス神族

illustrated by あみみ

ヘラ様の男神品定め⑦ 冥界神ハデス

> ここまで紹介してきた6名の神は、みなオリュンポス十二神の一員でした。ですがなかには、普段オリュンポス山にいないから十二神に加わっていないだけで、同じくらい重要な男性神もいます。ええ。ペルセポネさん、あなたの旦那様ですよ。

　ゼウスの兄ハデスは、死者の魂が向かう地下世界「冥界」の支配者である。絵画などでは、彼が持つ「かぶると他人から見えなくなる兜」を身につけた状態で描かれることが多い。その名前があまりに有名なため、その後のヨーロッパでは冥界のことを「ハデス」と呼ぶことすらある。

　ハデスは冥界にやってきた死者の魂を決して地上に返さない厳格な神だが、その厳格さは曲がったことを許さない正義の神としてよい方向にも働いている。一方で女性に対しては非常に純朴であり、女好きで奔放な性遍歴を持つふたりの兄弟とは対照的である。

> ……ハデス様ってすごくまともというか……私、恵まれてたんですね……(ほかの男性神の資料を見ながら)。

> 実際、オリュンポスの神様んなかでナンバーワンの優良物件やで。ペルセポネはんが離婚とかしたら、争奪戦に参加する女神様が何人出てくるか、わかったもんじゃないです。

> まあ、統治者たる者子孫を多く残すことも重要ですから、複数の妻を持つほうが望ましいですけれど。うちのゼウスとハデスを足して♀で割るとちょうどよさそうですわね。

結婚の女神ヘラ
地位も能力も誠実さも、夫としては理想的です。ただ真面目すぎて融通が利きません。賢い奥さんがうまく操縦したほうがよいでしょうね。

冥界の女神ペルセポネ
ハデス様は優しいですし、ウソをつかないし、いい旦那様です。他の女の子のグラビアでニヤニヤしなければもっといいと思います。ええ。

神の娘パンドラ
ハンサムな恋人でとてもいいと思いますけれど、暗い冥界にずーっといるのは気が滅入りそうですわ……ペルセポネさんはよく平気ですねぇ。

オリュンポス神族

原初の神
Primordial deities

　原初の神とは、ギリシャ神話の世界が誕生した直後から活躍した、古い神々とその子孫です。ギリシャ神話の神々のほとんどは、大地母神ガイアと天空神ウラノスの夫婦から生まれましたが、大地母神ガイアの妹である闇の神ニュクスなど、ガイア以外から生まれた古い神をこの章に分類しています。

illustrated by 皐月メイ

ニュクス

徹底的！我が子第一主義
ガイア

長音表記：ガイア　**ローマ名**：テルース　**英語名**：ジーア、テラ　**別名**：ゲー

夫に反逆した大地母神

　ギリシャ神話の神々と物語は、すべて大地母神ガイアから始まった。そう言っても過言ではないほど、ガイアは現実世界でも古い歴史を持ち、ギリシャ神話の最初期に生まれ、多くの子を産んだ女神である。その体は世界そのもので、今でも地球や大地のことをガイアと呼ぶことがある。

　古いギリシャの詩人ヘシオドスによれば、世界がはじまる前のずっと昔、そこにカオスというものが生まれた。カオスは「裂け目」「からっぽ」という意味である。

　カオスから次に胸ひろきガイア（大地）が生まれた。ガイアは自分と同じほどに大きな、星をちりばめたウラノス（天）を産み、ウラノスを夫としてポントス（海）、山々、ティタン（原始の神）たち、キュクロプス（ひとつ目の巨人）たち、ヘカトンケイル（百腕巨人。50の頭と100の腕をもつ）たちを産んだ。しかし父であるウラノスは、生まれた子供をみな母なる大地、すなわちガイアの奥底深くに閉じこめてしまった。

　ガイアは自分の腹いっぱいに子供たちをつめこまれたことに怒り、まがまがしくも意地悪い計画を立てた。彼女は鋼鉄の鎌を作って、子供たちに「これでお父さまに復讐するのです」と言ったのだ。

　みなが恐れて口を閉ざすなか、ティタンの末っ子、悪賢いクロノス（→p137）だけが進み出て承知した。ウラノスが夜と一緒にやって来てガイアにおおいかぶさったとき、クロノスが隠れ家から進み出て、ウラノスの男性器を鎌で刈り取って投げ捨ててしまった。傷口から流れる血が大地（つまりガイア）に落ちると、そこからエリニュス（→p110）たちやギガス（巨人）たちが生まれ、陰部が海に落ちると海の泡からアプロディテ（→p44）が生まれたという。

神々の支配に抵抗し続けた女神

　神話におけるガイアの行動原理は一貫している。彼女は自分が産んだ子供たちを愛しており、その子供が不当にしいたげられることを強く拒絶するのだ。

　自分が反乱をけしかけた息子クロノスが最高神の座につくと、クロノスは兄弟たち

カオスのなかをたゆたうガイアと、その弟エロス。イタリアの画家アンゼルム・フォイエルバッハ画。19世紀イ

のうち醜いヘカトンケイルとキュクロプスを幽閉したうえ、ガイアの娘レアに産ませた子供たちを次々と丸呑みしてしまった。
　これに怒ったガイアは、今度はクロノスの子ゼウスに目をつけて彼を支援し、反乱を成功させる。ところがゼウスたちは敗者のクロノスらティタン神族を地下に幽閉したので、これはやりすぎだと怒り、ゼウスたちを罰するべく巨人ギガスや怪物テュポンなどを産み出してゼウスたちを襲わせた。ゼウスたちは苦戦のすえにこれらの怪物に勝利し、敗れたガイアはようやく反乱をやめたという。

大地の女神は誓いの女神

　ガイアは神託と予言にも深い関わりがある。ギリシャには「デルポイの神託所」という神聖な場所があるが、この神託所を建てたのはガイアで、そこはもともとガイアの聖地だったともいう。すなわち、デルポイは大地（ガイア）のへそ、あるいは子宮にあたる特別な土地であったというのである。ただし神託所を開いたのはガイアの娘であるポイベ（→p114）、あるいは孫のアポロンだとする説もある。
　ガイアは誓いの神でもあり、ギリシャでは多くの誓いはガイアの名にかけておこなわれた。ガイアは誓いを破った者に恐ろしいエリニュスたち（→p110）を送って罰するともいわれた。
　ガイアはオリュンポス十二神には含まれていないが、ときにオリュンポスの神を上回るほど重要な神として認知されていたため、ガイアをまつる寺院はギリシャのあちこちにあった。一方で、彼女の夫である天空神ウラノスの神殿は、ギリシャのどこにも確認されていない。

テルース：ローマでのガイア

　ローマ神話では、大地の女神テルース（テルス）が、ガイアに相当する女神である。彼女はローマ神話仕様に翻訳されたギリシャ神話由来の物語で、ガイアの代わりにその名を当てられているが、テルース固有の神話は持っていない。
　テルースはガイアと比べると目立たない存在だ。神話の設定上ガイアとの最大の違いは、ガイアは単独で神を産み、息子である天空神（ウラノス）を夫に迎えたが、テルースには対になる人地の男神アルモがいることである。
　ちなみテルースの別名はテラといい、現代英語では地球をあらわす単語のひとつとなっている。地球外惑星を人間が住める環境に改造する技術を意味する宇宙開発用語「テラフォーミング」でも有名である。

> ガイア様は誓いの神という領分も持っています〜。なんといってもすべての誓いはガイア様の上、すなわち地上で行われますから〜。嘘をついてもガイア様はぜんぶお見通しですよ〜？

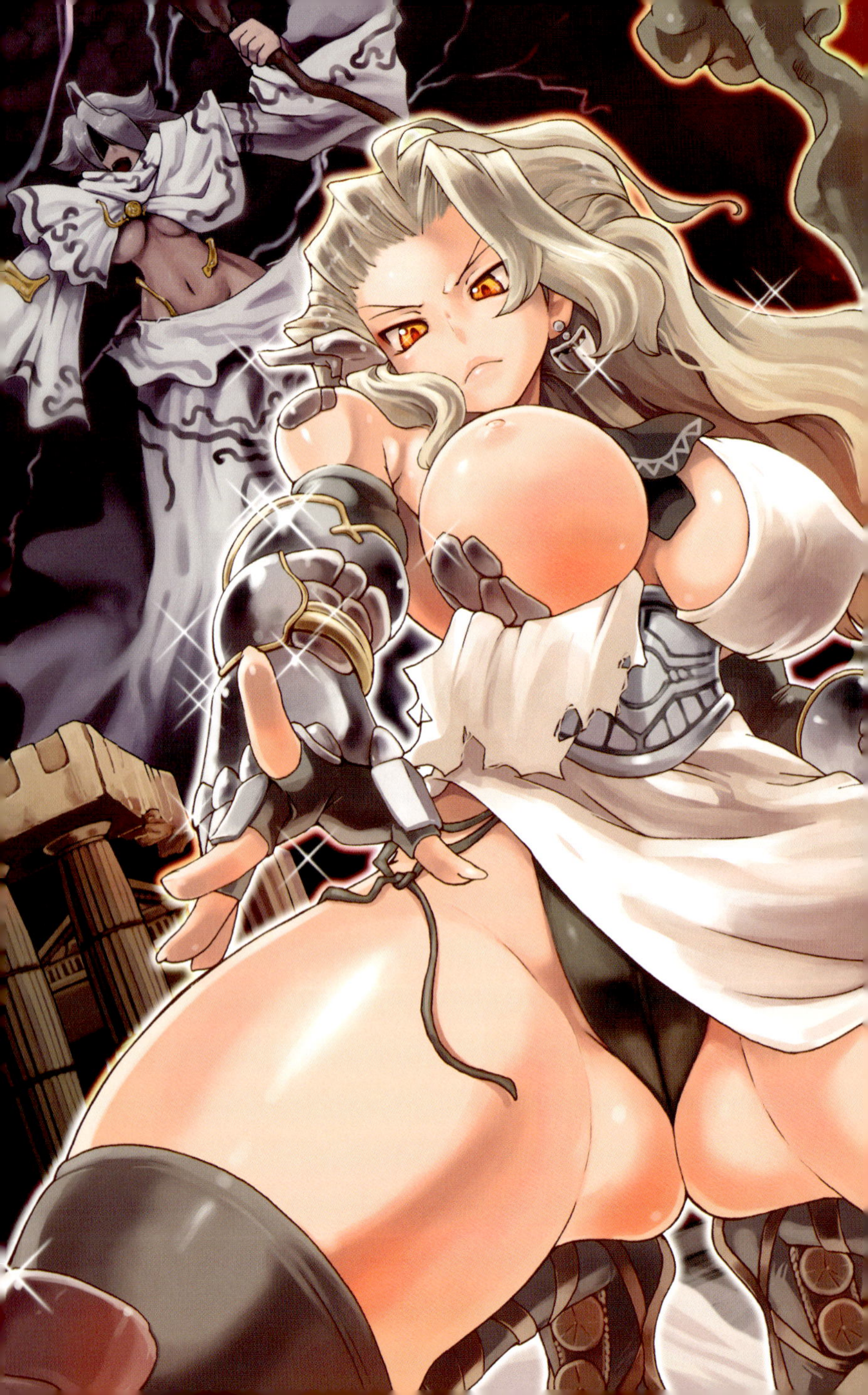

illustrated by けいじえい

おやすみなさいを告げるママ
ニュクス

長音表記：ニュクス　ローマ名：ノクス　英語名：ナイト

世界に夜を運ぶ原初の女神

ギリシャ神話に登場する神や精霊、人間などは、その系譜をたどっていくと、ほとんどが大地母神ガイアを先祖に持っている。では、それ以外の存在は誰の子孫なのだろうか？　ガイアに次いで多くの子孫を持っているのは、ガイアと同様、原初のカオスから生まれた夜の女神ニュクスである。彼女はこの世の西の果てにある館に住み、毎日の半分を天空で過ごし、残りはこの館で過ごす。ニュクスが空にいるあいだ、世界は夜のとばりに包まれるのだ。

ニュクスは古代のギリシャ人に実際に信仰された神ではなく、世界の成り立ちを説明するために後付で生み出された神だと思われる。彼女は同じく原初のカオスから生まれた神である闇の神エレボスと交わり、昼の女神ヘメラ（→p90）と光の神アイテルの兄弟を産んだ。また、男神と交わらずにニュクス単独でも子をなしており、運命の女神モイラ（→p50）をはじめ、眠り、死、痛み、不和などの概念を意味する子供たちを多数産んでいる。ニュクスの子孫の特徴は、自然などをあらわす神ではなく、人間の行動、理念、道徳などを人格化したものが多いことだ。

学問の精霊、愛の神エロスとともに描かれたニュクス。19世紀ポルトガルの画家ペドロ・アメリコ画。

ゼウスも一目置く女神

ニュクスは非常に強大な神であり、オリュンポスの最高神であるゼウスでさえニュクスには一目置き、遠慮した態度を取っている。

ニュクスの息子である眠りの神ヒュプノスは、ゼウスの妻ヘラに命令されて、ゼウスを眠らせたことがあった。ヘラは夫が眠っている隙に、夫が別の女性との不倫で産ませた英雄ヘラクレスが乗った船を難破させ、彼を殺そうとしたのだ。

最高神に対する悪意ある行為にゼウスは怒り、ヒュプノスをオリュンポスから追放しようとしたが、ヒュプノスの母であるニュクスが必死にとりなしたため、ゼウスもニュクスに気を遣って、ヒュプノスの追放を取り下げなければならなかった。

> ニュクス様は、世の中から争いを止める調停者の神でもあるんだそうです。それはそうですよね、だってどんなに激しくケンカをしていても、夜になったらケンカをやめて寝るわけですもの。

illustrated by hou

暗いママから明るいムスメ！
ヘメラ

長音表記：ヘーメラー　**ローマ名**：ディエス　**英語名**：ディ

昼の世界を照らす女神

　原初のカオスから生まれた女神ニュクスが夜の女神なら、彼女と闇の神エレボスのあいだに生まれた娘ヘメラは昼の女神である。兄弟は高天の神アイテル。ニュクスの夜とヘメラの昼、エレボスの闇とアイテルの高天の光が対になったことで、ギリシャ神話の世界は光と闇、昼と夜が交互に訪れるサイクルを手に入れた。

　ギリシャ神話の世界では、大気は「高天」と「下天」のふたつに分かれていると考えられている。ヘメラの兄アイテルがいる高天に満たされている物質をアイテル（エーテル）と呼び、これは地水火風の四大元素と並ぶ5つめの元素であり、天空に輝く星の材料だと考えられていた。

　逆にヘメラが担当するのは、兄の下の世界、下天（アエル）である。彼女は毎日朝になると、輝きをまとった姿で地上にあらわれて、空を飛びながら下天の空気を照らす。そのため世界には光が満ちるのだ。一日の半分を飛び終わったヘメラは下天から離れ、父エレボスが支配する闇の領域に帰って休みにつく。そのあいだは母のニュクスが下天を闇に包む夜の時間となるわけである。

忘れられた女神

　ギリシャ神話に登場する神は、現実世界において、同じ人が考えたわけでも、同じ部族が作ったわけでもない。ほとんどの神はバラバラの場所で生まれ、それを後世の詩人が"つまみ食い"して生まれたのがギリシャ神話なのだ。

　ヘメラは世界の成り立ちを説明するために作られた神であり、人間の信仰の対象として生まれたわけではない。そのため、昼と夜の移り変わりについては、天体や自然現象を神格化した神である太陽神ヘリオス、暁（朝焼け）の女神エオス（➡p130）のほうが有名で、人々の信仰を集めていた。

　当初はヘメラの神話とエオスの神話を合体させ、エオス（朝焼け）からヘメラ（昼）に下天が引き継がれる神話も語られていたが、しだいにヘメラの存在は忘れ去られてしまい、ヘメラが果たしていた役割はエオスに吸収されてしまった。

　ローマ神話ではヘメラの名前は「ディエス」と呼ばれるが、彼女もヘメラ同様存在感の薄い神で、固有の神話は残っていない。

> わたしは1年に8ヶ月、お母様と一緒に過ごしていますけれど、ヘメラさんは昼と夜が入れ替わる一瞬だけしかお母様のニュクス様と会えないのだそうです。……もうすこし長くしてあげられないものでしょうか？

原初の神

illustrated by れんた

バチが当たればムチを一閃
ネメシス

長音表記：ネメシス　ローマ名：なし　英語名：ネメシス　別名：アドラステア（必然）

神の怒りを意味する女神

　ギリシャ神話の神々は、非常に誇り高い存在である。彼らは神々が人間よりも圧倒的に優れた存在だと考えており、人間が神々の領分を侵したり、神々よりも優れた存在だと自称、他称することを決して許さないのだ。例えばギリシャ神話の蜘蛛型モンスターとして有名なアラクネ（→p195）は、技術の女神アテナに織物勝負を挑んで勝ってしまった女性が、アテナの怒りに触れて蜘蛛に変えられてしまった存在である。

　このような、人間の思い上がりに対する神々の怒りのことを古代ギリシャ語で「ネメシス」と呼んでいた。このネメシスに神としての人格が与えられたものが、ここで紹介する女神ネメシスである。神として信仰されるようになった時期が比較的新しいからか、この女神はローマでは固有の名前を持っていない。

　ネメシスの外見は、リンゴの木でできた車とムチを持った姿で描かれる。車は変わり続ける運命を、ムチは人間をこらしめる武器をあらわす。

　一般的にネメシスは「復讐の女神」と呼ばれることが多いが、これは正しいとはいえない。上でも説明したとおり、彼女が行うのは復讐ではなく、節度を守らない人間を罰すること。ネメシスは神の怒りの体現者なのである。

　また、ネメシスには幸運の女神テュケ（→p122）とともに、運命の3女神モイラ（→p50）の部下として、人間の運命を管理する役目もある。ネメシスは、気まぐれに幸運と不幸をばらまくテュケの後始末役として、幸運にのぼせた者から運を吸い取り、不幸にあえぐ者にそれをわけ与えてくれる公平な女神でもあるのだ。

神様を怒らせないために

　ギリシャ神話において神が人間に怒りを感じるのは、上で説明したように「人間が道徳を無視したり、神を馬鹿にしたとき」。もうひとつは「人間があまりに幸せ過ぎるとき」だ。そのため過分な幸運が舞い込んだ人間は、ネメシスにお供え物をして、神が嫉妬して神罰をくださないように祈るという。

　ネメシスは絵画などで、閉じた唇に人差し指を当てた「シーッ」のポーズで描かれることがある。これは人間に対して、余計な発言で神の怒りを招かないようにしなさいと教えているのだ。

> 彼女はゼウス様とニュクス様の娘です〜。ニュクス様は子作りを嫌ってガチョウに変身して逃げたんですけど、ゼウス様も白鳥になって追いかけて交わったんです〜。ネメシスさんに翼があるのはそのせいかも〜？

illustrated by 風花風花

小悪魔系女神様の甘い罠
ピロテス&アパテ

長音表記：ピロテース／アパテー　**ローマ名**：アミキティア、グラティア／フラウス　**英語名**：グレーシア／。

男を誘惑する女神のコンビ

　夜の女神ニュクスからは、光の神ヘメラとアイテル以外にも、さまざまな"ネガティブな"特徴を持つ女神が生まれている。その一員である女神ピロテスとアパテの名前は、ピロテスには「友好、愛欲、性交」という意味があり、アパテには「欺瞞（ぎまん）」という意味がある。このふたりの女神は、協力して男たちを惑わし、性交を誘い、恋に溺れさせ、ついには死に至らしめる危険な女神たちだ。

　ピロテスとアパテの名前は、ギリシャ神話の神の系譜を説明した詩、ヘシオドスの『神統記』において、夜の女神ニュクスの子供が列挙されるなかに名前があらわれるのみで、神話のなかで活躍するような記述はほとんど見られない。ローマに伝わっても、「アミキティア」または「グラティア」という名前で出てくるのみで、やはり具体的なエピソードはない。しかし彼女たちの存在とわずかに残された逸話は、古代ギリシャ人たちの女性観を知るための重要な資料となっているのだ。

"女嫌い"なギリシャ男性

　ピロテスやアパテと同時期に生まれたニュクスの子供には、「老齢」のゲラス、「争い」のエリス（→p96）などの神々がいる。死や苦しみを予感させる神名のなかで、欺瞞の女神であるアパテはともかくとして、愛欲と性交の女神であるピロテスはひとり場違いのような感じもするが、これには古代ギリシャ男性の"女嫌い（ミソギュニア）"という女性観が反映されている。

　74ページで紹介したパンドラの神話は、神に作られた最初の女性、すなわちパンドラのせいで、人間社会に災厄が与えられたと説明する。このようにギリシャ人男性にとって女性は災厄であり、女性を愛することは苦しみの象徴ですらあった。

　詩人ヘシオドスは、『神統記』と並ぶ代表作『仕事と日』のなかで、神は女性を作るとき、女性の胸に「嘘と甘言」「盗人の性（さが）」を埋め込んだと歌っている。そして男性の読者に、「女性にだまされてはいけない」「女性を信じるのは盗人を信じるようなもの」と警告しているのだ。男が働いて得てきた食物を、家の奥にぬくぬくといた女がむさぼる、しかし男は甘いささやきに惑わされ、女を愛さずにはいられない……ピロテスはここにあらわれる災厄なのだ。

> 古代ギリシャ人は「女嫌い」やった。じゃあ男の愛情はどこに行くんか、もうわかりまっしゃろ？　男の愛情は男に向かう……つまり古代ギリシャは美少年性愛のメッカや！　パンドラはんには見せられん世界やでほんま。

原初の神

illustrated by eigetu

関わりたくないトラブルメーカー
エリス&デュスノミア&アテ

長音表記：エリス／デュスノミアー／アーテー　ローマ名：ディスコルディア／デュスノミア／ネファス
英語名：ディスコード（エリスの英語名）

夜の娘、争いの女神エリス

　夜の女神ニュクスは、闇の神エレボスとの結婚によってヘメラ（➡p90）、ネメシス（➡p92）などの神を産んだ一方で、男女の交わりによらず、愛欲の女神ピロテスと欺瞞の女神アパテ（➡p94）など、苦しみや憎しみの原因となる多くの神を産んでいる。彼女が最後に単独で産んだ神は、不和と争いの女神であるエリスだ。

　エリスは「争い」を意味する名前と能力を持つだけでなく、ささいなことで人を恨み、いったん恨んだら未来永劫忘れないというやっかいな性格の女神である。そのため多くの神々も彼女を敬遠し、関わらないようにしていた。

　別の伝承では、エリスはゼウスとヘラの娘で、軍神アレスの双子の姉妹である。そのため、アレス同様に残虐な性格をしており、血なまぐさい光景を見ると大喜びしたという。彼女は戦争の女神として血にまみれた甲冑をまとい、軍神アレスの命令で戦場を歩き回り、争いを加速するような陰謀を巡らせるのだ。

オリュンポス神族に内乱をもたらした女神

　エリスは、ギリシャ神話最長の英雄物語『イリアス』が題材とした神話上の大戦争「トロイア戦争」の元凶となった女神である。

　『イリアス』の物語は、海の女神テテュスの結婚を祝って開催された祝宴からはじまる。人間関係に不和をもたらす女神であるエリスは、この祝宴に呼ばれなかったことに腹を立てて宴会場に乱入し、招待客のなかに黄金のリンゴを投げ込んだ。このリ

祝宴に投げ込まれた黄金のリンゴ（後世に「不和のリンゴ」と呼ばれる）に驚く神々。17世紀ベルギーの画家ピーテル・パウル・ルーベンス画。彼はアニメ『フランダースの犬』のラストシーンで有名な絵『キリストの昇架』の作者である。

ンゴには「もっとも美しい方へ」という文字が刻まれており、これがエリスの能力のとおり、神々のあいだに不和をもたらす特大の火種になったのだ。

　オリュンポスの神々には、自分の美に特に自信を持っている女神が3柱いる。結婚の女神として、理想の花嫁を体現するヘラ、才色兼備の言葉がぴったりくる女神アテナ、そして愛と美の女神であるアプロディテである。いずれもオリュンポス十二神として絶大な権力を持つ女神たちが、「このリンゴは私にこそふさわしい」として、リン

原初の神

illustrated_by あみみ

ゴの所有権を主張しはじめたから大騒ぎ。しかも仲裁を求められたゼウスは、自分で判断することを避け、その判断を現在のトルコ西部にあった国トロイアの王子パリスに丸投げしてしまった。

　自分こそが最高に美しいとパリス王子に認めさせる対価として、3柱の女神は、アテナは「すべての戦いの勝利」、ヘラは「ギリシャ全土の支配権」、アプロディテは「自分と等しい絶世の美女」を約束。するとパリス王子が美女を求めてアプロディテを選んだため、面目をつぶされたヘラとアテナは、パリス王子のトロイア王国を滅ぼすべくギリシャの諸国にテコ入れをはじめる。一方でアプロディテがトロイアに荷担してヘラとアテナに対抗すると、そのほかの神々も、それぞれギリシャ方とトロイア方に分かれて人間世界への介入を始めてしまう。

　こうしてエリスは、たったひとつのリンゴによって、自分のことを軽んじた神々のなかに不和を爆発させ、みごとに復讐をなしとげたのだ。

　トロイアとギリシャの軍勢が直接激突すると、エリスは不和だけでなく、争いの女神としての本領も発揮する。彼女はアプロディテの息子であるデイモス（恐怖）とポボス（潰走）を従えて戦場を駆け巡り、兵士たちが恐れ慄き、逃げ惑い、傷を受けて苦しむように誘導した。こうしてトロイア戦争の戦場は、多くの戦士たちが命を落とす地獄の戦場と化したのである。

エリスの子供たち

　エリスは、単独で自身を産んだ母ニュクスと同様、男神の力を借りずに、人間世界の不幸を体現する神々を産んだ。なかでも特に重要なのが、不法の女神デュスノミアと、破滅の女神アテである。デュスノミアは掟を無視する悪行に、アテは道徳的判断を失わせて狂った行動に人間たちを導く。彼女たちは母エリスと3人組で行動することが多いため、もともと彼女たちは世界各国の神話に見られる3柱1組の女神だったのではないかという説がある。

　デュスノミアとアテ以外にエリスが産んだ子供たちには、労苦（ポノス）、忘却（レテ）、飢餓（リモス）、悲嘆（アルゴス）、戦闘（ヒュスミネ）、戦争（マケ）、殺害（ポノス）、殺人（アンドロクタシア）、紛争（ネイコス）、虚言（プセウドス）、空言（ロゴス）、口争い（アンピロギア）などがいる。名前を見ただけでも、好ましくない存在であることがわかるだろう。

　ギリシャ神話初期の詩人ヘシオドスによれば、これらの子供たちのなかでも特に多くの人間を苦しめたのは誓いの神ホルコスだという。彼は人間世界に不幸を与える神であるエリスの子供たちの一員にふさわしく、誓いを守らせる神というよりは、誓いを破った者に手ひどい罰を与える神なのである。人間世界の不幸を体現する、エリスの子供たちにふさわしい存在だといえよう。

> 世界の東にあるヘラ様の果樹園「ヘスペリデスの園」には、食べると不老不死になる黄金のリンゴが実っているそうです。同じ黄金のリンゴでも、ずいぶんと"ありがたみ"が違いますねえ。

ヘラ様の男神品定め⑤ 狂神ディオニュソス

> オリュンポス十二神は、21ページで紹介した12柱の神ではじまったのですけれど、長い時間がたつと、十二神にふさわしいくらい強力な神が新しく生まれてくることもあるのよ。それがこのディオニュソスなのだけれど……。

ディオニュソスは酒と狂気の神である。ツタを巻きつけ、先端に松ぼっくりをつけた杖「テュルソス」を持ち、ワインの発明者であることから葡萄の実とともに描かれる。彼の信者は、獣の肉を焼かずに生で食い、酒や薬物で狂乱状態になり、性交渉をともなう宴で信仰を表現した。

神話では、彼はゼウスの性欲とヘラの嫉妬のために死亡した人間の王女セメレ(➡p187)の子であり、母の二の舞にならないよう、ゼウスのふくらはぎの中に隠され、胎児の状態から成長した。のちにヘスティアから地位を譲られ、オリュンポス十二神に加わったともいう。

> 現実世界のディオニュソス君は、アジアからやってきた新しい神様なんです〜。最初のころは邪教扱いでしたけど、だんだん人気が出てきたんですよね〜。

> せやから、こら排除するんやなくて、味方に取り込まなマズイっちゅうことになってな、新しい神話を作って、ディオニュソス様はゼウス様の隠し子ってことにしたんや。

> ええ、そんな神話が新しくできたせいで、わたくしはまた悪者扱いですわ！妊婦を殺して胎児も殺そうとするなんて、いったいどんな鬼ですか！

結婚の女神ヘラ
たくさんの女性信者を引き連れて、狂乱状態で性行為を行う、そんな神の妻になりたいのかしら？別にわたくしは止めませんけれど。

冥界の女神ペルセポネ
お酒を飲んで騒ぎ立てるのが儀式なのですか？それはとても騒々しいことになりそうですね……そういうのはちょっと苦手です、ごめんなさい。

神の娘パンドラ
儀式などはちょっと過激ですけど、この方の恋人になれば少なくとも退屈することはなさそうですわよね！いろんな意味で楽しめそうですわ。

持たざる女神の家族計画
ペニア

長音表記：ペニアー　ローマ名：ペニア　英語名：ポヴァティ

貧乏を人格化した女神

　ギリシャ神話ではさまざまな概念が神の姿をとっており、なかには人間にとってまったくありがたくない神もいる。このペニアとは古代ギリシャ語で「貧しい」という意味の単語で、"貧乏の女神"の名前でもある。紀元前6世紀の神話詩集『テオゴニス』は、ペニアのことを「彼女はどこでも軽蔑され、どこでも嫌われているというのに、どこにでもいるのだ」と酷評している。

　ペニアは、無力の女神アメカニア、乞食の女神プトケイアとともに3柱1組で活動する神だとされているが、彼女たちがトリオを組んで活躍している神話は存在せず、ペニア以外の2柱にも固有の神話はまったくない。

人気者エロスの母親

　貧困と欠乏の女神であり、価値あるものは何も持っていないはずのペニアにも、ただひとつ宝物といえるものがある。それが彼女の息子で、英語ではキューピッドという読みで知られる愛の神エロスである。エロスは一般的には、カオスから生まれた原初の神、あるいはアプロディテと軍神アレスの息子だとされているが、ペニアを紹介した哲学者プラトンの物語集『饗宴』によると、エロスはペニアが、機知と策略の神ポロスとのあいだに産んだ子供なのだという。

　あるときオリュンポス山で、美の女神アプロディテ（→p44）の誕生を祝うパーティが行われていた。出席した神々は神酒ネクタルを飲んで楽しんでいたが、この喜びの輪に加わることができていないのが貧乏の女神ペニアだった。乞食として宴のおこぼれをもらうことを期待して会場の近くに来ていたペニアだったが、神酒ネクタルに酔いつぶれて寝ているポロスを見つけて考えを変えた。ペニアは、何も価値あるものを持っていない貧乏神で、子供に残してやれるものは何もないが、ポロスのような賢い神の子供を産めば、きっとその知恵で母を助けてくれるに違いないのだ。

　ペニアは酔って寝ているポロスを強姦し、エロスを産んだ。この神話によれば、エロスがまったく服を着ていない姿で描かれるのは、母親であるペニアが何も持たない貧乏神だからだという。そして父ポロスから受け継いだ賢さによって、エロスの「相手の恋心をあやつる矢」は、決して狙いを外すことがないのだという。

> ペニアはんと対になるのが、プルトス様っちゅう富の神様や。この方はデメテルはんの息子なんやけど、「富が1ヶ所に集中しないように」と、ゼウス様に盲目にされてしもうた。神様やるのも楽やないな。

illustrated by 鈴根らい

ギリシャ星座のできるまで

ここまでいろんな神様のお話を聞いてもらいました〜。そのなかにですね、お空の星についてのお話がけっこうあることに気がつきましたか〜？
実はギリシャ神話は、星座にまつわるお話が特に多い神話なんです〜。

ギリシャ星座ってなんだ？

ギリシャ神話の物語には、神や人間、動物や怪物などが天空に上げられ星になるという内容の物語が多数存在する。これらの神話は、たいていの場合、天空に輝く「星座」の由来を説明するために創作されたものだ。

このように、ギリシャ神話の世界観にもとづく神話を持つ星座のことを、俗に「ギリシャ星座」と呼んでいる。

ギリシャ星座はどこで生まれた？

星座という概念は、世界各地で自然発生的に生まれたものである。ただしギリシャ星座そのものは、すべてがギリシャで生まれたものではない。まだギリシャが文化的に成熟していなかった紀元前の時代、ギリシャ周辺の文化先進地域は中東地方だった。中東で発明された数々の星座のうち一部がギリシャに持ち込まれ、ギリシャ風の物語が与えられたのがギリシャ星座の始まりである。

その後、紀元前3世紀ごろに征服王「アレクサンダー大王」がエジプトを征服すると、巨大な学術センター「アレクサンドリア図書館」から中東の星座の知識が持ち込まれた。これらの雑多な星座の数々を、2世紀にローマ帝国の天文学者プトレマイオスが48個に整理したのが、現在の「ギリシャ星座」である。これらの星座はプトレマイオスの愛称をとって「トレミーの48星座」と呼ばれている。

トレミーの48星座は、ヨーロッパのみならず中東のアラブ人社会にも受け入れられ、現在世界で星座といえば、この「トレミーの48星座」に後世の学者が40個の星座を付け足した、88星座のことを指すことが多くなっている。

実はトレミーはんがまとめた48星座のなかに、1個だけ、現在ではなくなってもうた星座があるんや。「アルゴ座」ちゅうてな、「アルゴナウタイ」っていう英雄チームが乗っていた船をかたどった星座や。

ええっ、どうして星座がなくなっちゃうんですか？
ま、まさか、星が爆発してなくなっちゃったとか!?

いえいえ〜、爆発はしていないですから大丈夫ですよ〜。このアルゴ座ですけど〜、あんまり大きいので、「ほ座」「とも座」「りゅうこつ座」という、船の部品の星座に分割されたんです〜。

ティタン神族
Titans

　ティタン神族とは、大地母神ガイアと天空神ウラノスの子孫全員から、農耕神クロノスと地母神レアのあいだに生まれた「オリュンポス神族」を除いた神々の総称です。ティタン神族の神のほとんどは、オリュンポス神族のリーダーである最高神ゼウスに降伏して、その部下となっています。

illustrated by 皐月メイ

テミス

暴力ダンナに知略で反撃
レア

長音表記：レアー　ローマ名：オプス　英語名：不明

オリュンポスの神々を産んだ母神

　ギリシャ神話の偉い神といえば誰が思い浮かぶだろうか？　最高神ゼウス、海神ポセイドン、冥界神ハデスのほか、戦女神アテナや月神アルテミスも有名だ。実は今あげた神々は、全員がひとりの女神の子供、あるいは孫なのだ。ギリシャ神話の主要な神の母親や祖母である「神々の母」の名前は、レアという。

　レアはゼウスの先々代の最高神、天空神ウラノスと大地母神ガイアの娘である。彼女は山と獣を守護する女神で、自分の兄弟である農耕神クロノスと結婚し、6柱の神を産んだ。それがゼウス、ポセイドン、ハデスの3兄弟と、本書でも紹介しているヘラ（➡p22）、デメテル（➡p36）、ヘスティア（➡p40）の3姉妹だ。

　レアとクロノスの夫婦関係は、のちの息子夫婦（ゼウスとヘラ）よりもずっと険悪だった。不仲の原因は、クロノスが子供たちにひどい仕打ちをしたからだ。

　かつてクロノスが父のウラノスから最高神の座を奪ったあと、彼は両親から「自分の子供に権力を奪われる」と予言された。クロノスはこの予言を恐れ、妻のレアが産んだ子供たちを、次々と丸飲みしてしまったのだ。子供を夫に飲み込まれたレアは、6番目の子供を妊娠すると、夫クロノスに隠れて出産。クロノスには子供のかわりに、赤ん坊と同じくらいの重さの石を産着にくるんで渡し、飲み込ませた。

　赤ん坊はすくすくと成長すると、策略で兄弟を救い出し、やがてクロノスを倒した。この子供こそ、現在のギリシャ神話の最高神ゼウスなのである。

クレタ島のレア信仰

　レアはギリシャ古来の神ではなく、もともとはギリシャの南にあるクレタ島の女神だったと考えられている。クレタ島には「母と引き離されて育つ子供神」の神話があったため、クレタの母神はゼウスの母親としてギリシャの神話に取り込まれ、レアという名前で信仰されるようになった、というのが有力な説だ。

　そのためクレタ島ではレア信仰が盛んで、古代のクレタ島では毎年、武装した戦士たちが、たがいの槍や盾を打ちあわせる祭りが行われていた。これは、神話のなかでレアにゼウスを託された戦士が、ゼウスの泣き声をクロノスに聞かれないために、武器を叩く音をたててごまかしたという物語がもとになった儀式である。

ティタン神族

> レア様は、ローマ神話では「オプス」という名前になっています。ローマのオプス様は豊かさの女神で、ひとより働いた農民さんに、たくさんの穀物を収穫させてあげるんだそうですわ。

illustrated by リリスラウダ

守らせるのがお仕事です

テミス

長音表記：テミス　ローマ名：ユースティティア　英語名：ジャスティス

正義ではなく掟の女神

　天空神ウラノスと大地母神ガイアのあいだには、12柱あまりの子供が生まれ、彼らは「ティタン神族」と呼ばれている。雷神ゼウスによるクーデターに敗れた彼らは、当初から中立を保ったりゼウスに味方した神以外は、神話で注目されることも人間に信仰されることもなくなっている。そのなかで数少ない例外がこのテミスである。

　彼女は敗戦によって地位と信仰を失うどころか、ゼウスと結婚。その後ゼウスの正妻となったヘラとも良好な関係を保ち、オリュンポス神族において、神々の相談役や宴会の幹事役などの、地味だが重要な役目を果たしている。

　テミスの名前は「定められた者」「掟」「法の義」を意味し、あえて表現するなら掟の女神と呼ぶのが適切だ。神々と人間を問わず、決められたルールを守らせるのが彼女の役目である。同時に彼女は予言を与える神で、大地母神ガイアから「デルポイの神託所」という聖地をあずかり、それをアポロン（→p35）に引き渡している。

ユースティティア：ローマでのテミス

　ローマ神話の女神のなかで、テミスの神話を引き継いだ女神はユースティティアという。彼女の名前は英語の"ジャスティス"の語源で、ラテン語で「正義」を意味する。ギリシャ神話のテミスは正義の女神だと誤解されるが、これは対応するユースティティアが正義の女神だからにほかならない（ギリシャ神話の正義の女神は、季節の女神ホラ（→p66）のひとりディケである）。

　ユースティティアは正義の女神であるため、正義を体現するべき裁判所などで、右手に剣、左手に天秤を持ち、目隠しをした姿のユースティティア像が飾られる。天秤はことの善悪をはかり、剣は正義を執行し、目隠しは彼女の裁きが人物の名声に左右されず、法の下に平等に執行されることを示している。

アメリカ司法省の225周年記念として製作されたブロンズ像。剣と天秤、目隠しというユースティティアの特徴がすべて盛り込まれている。撮影者：Themis-jp

ティタン神族

　テミスさんの最大のライバルは、傲慢の女神ヒュブリスさんです〜。ヒュブリスさんに魅入られた人は、これまで守られてた掟を平気で破ったり、平和を破壊する原因になるからですね〜。

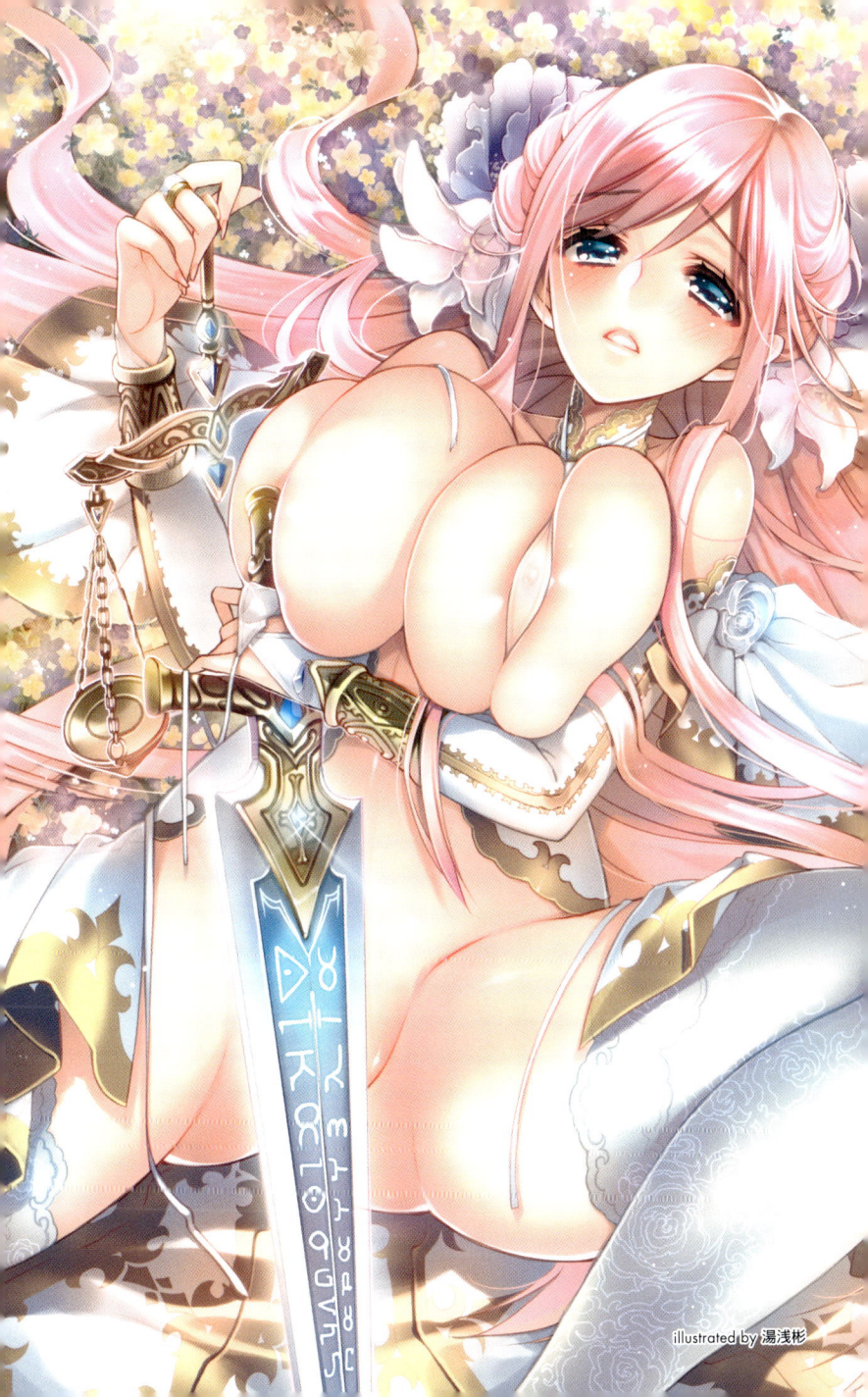

illustrated by 湯浅彬

決して枯れない知謀の泉
メティス

長音表記：メーティス　ローマ名：メティス

ギリシャ神話きっての知恵者

　ギリシャ神話の主神ゼウスは全知にして万能の神である。彼は世の中のすべてを理解し、未来をも知っている。神話のなかで、ゼウスが他の神や人間にやり込められたように見えても、それは計算ずくで、ゼウスに都合がいい方向に事態を進ませるためにわざと負けているのである。

　泉のように湧き出すゼウスの知恵と策略は、実はひとりの女神によって与えられているものだ。それが海神オケアノス（→p136）の娘「オケアニデス」の一員、知恵と泉の女神メティスである。彼女の名前は「思慮」という意味で、詩人ヘシオドスによれば「すべての神々や人間をあわせたより、もっと多くのことを知っていた」という。しかもただ知識があるだけでなく、問題を正確に分析し、巧妙な計画を立て、それを適切な形で助言することまでできたという。

　神話においては、かつてゼウスが父クロノスへの復讐を決意したとき、ゼウスは父に飲み込まれている兄と妹を救うため、メティスの力を借りている。メティスは神々の飲む酒である「ネクタル」に嘔吐薬を入れることで、ゼウスの兄弟を吐き出させることに成功したという。

頭の中に住む女神

　メティスは、ゼウスが正妻ヘラと出会う前に結婚した、ゼウスの最初の妻である。ところが現在、メティスはゼウスの頭の中で暮らしている。この奇妙な状況は、ゼウスの祖母ガイアの予言が原因だった。アテナ（→p28）のページでも説明したように、「妊娠したメティスから生まれた子供が男なら、ゼウスの地位を奪う」という予言を恐れたゼウスが、メティスが出産しないように、彼女をだまして水に変身させてから丸呑みにしてしまったのだ。

　みごとにだまされてしまったメティスだが、不満に思って暴れ出すようなことはなかった。メティスはゼウスの体内に住み着き、その無尽蔵な知識と策略によって、ゼウスの行動に善し悪しの助言をするようになったという。最強の戦士だったゼウスが最高の知恵を手に入れたことにより、ゼウスの統治は盤石となり、決して覆すことはできなくなったのである。

ティタン神族

> アテナちゃんは「母なき女神」なんて呼ばれることがありますけど〜、ちゃんと私の娘なんですからね〜？　あの人の頭のなかで私が産んだんですから〜。孤児扱いしないでほしいです〜。

illustrated by まるえ

全自動式断罪女神様
エリニュス

長音表記：エリーニュース　**ローマ名**：フリアイ、ディライ　**英語名**：フューリー

天然自然の罪を裁く女神

　エリニュス（複数形エリニュエス）は因果応報の女神の集団である。彼女たちは殺人その他の「自然の掟に反する行い」を罰する。特に親殺し、兄弟殺し、同胞殺しを敵視し、罪人に対しては決して容赦することはない。彼女たちは普段は地下深くに住んでいるが、地上で恐ろしい罪が犯されたなら、罪人の前にあらわれてこれを追いかけ、心を狂わせるのだ。

　この女神たちには、みな鳥のような翼があり、手にたいまつや鞭を持ち、髪の毛が蛇になっているか、あるいは体に蛇をからみつかせているとされる。一説には、犬の頭、真っ黒な体、コウモリのような皮の翼を持つともいう。ただ、ローマ時代のギリシャの文人パウサニアスは、「私はまったく恐ろしいところのないエリニュスの姿を見た」と記しており、場合によっては上のような異形じみた特徴を持たない姿で出現することもあるようだ。

　エリニュスたちは別名をエウメニデス（善意の者たち）、セムナイ（おごそかなる者たち／慈悲深い者たち）という。恐ろしい姿形と役割にはふさわしくない呼び名である。なぜこんな別名がついたかには複数の説がある。ある人は「エリニュスはあまりに恐ろしいため、世の人はその名を呼ぶのをはばかってこのように呼んだのだ」という。またある人は「エリニュスは恐ろしい女神だが、大地との関係から、豊作や多産をもたらす女神とされることもあったのだ」という。

　ローマでは「フリアイ」「ディライ」という神々をエリニュスに対応させ、エリニュスと同じ内容の神話が語られている。

エリニュスの誕生と個人名

　ギリシャ最初期の詩人であるヘシオドスの『神統記』によれば、農耕神クロノスが父ウラノスの陰部を切り取ったとき、流れた血が大地（ガイア（→p84））に落ちると、やがてそこからエリニュスたちが生まれたという。それから数百年後、ローマ時代の人物である詩人ウェルギリウスやオウィディウスは、エリニュスは夜（ニュクス（→p88））から生まれたとも言っている。

　複数の女神の集合体であるエリニュスの人数は、はっきり決まっていない。エリニュスという女神のグループがいることは、それこそ雷神ゼウスが最高神として信仰されるようになる前から知られていたのだが、人数や個人の名前は神話ごとにまちまちで定説がなかったのだ。有名なのはローマ時代の詩人ウェルギリウスが定めたもので、

ティタン神族

illustrated by トマリ

エリニュスの数を3柱とする。3柱の女神の名前は、それぞれアレクト（休まぬ女）、メガイラ（ねたむ女）、ティシポネ（殺人に復讐する女）という。

舞台で活躍したエリニュスたち

　古代ギリシャでは市民の娯楽として盛んに演劇が上演された。ギリシャ演劇では、英雄やヒロインたちの悲劇的な運命を描いた「ギリシャ悲劇」と呼ばれる物語が一大ジャンルを築いていたが、その主要な内容は、肉親どうしが別々の勢力に分かれて殺しあったり、目の前の相手が肉親だと知らずに殺してしまうというものが多く、自然の法則に反する「肉親殺し」を罰するエリニュスの出番が多かった。これらの劇のクライマックスでは、エリニュスに扮した女優が手にたいまつや鞭を持ち、体に蛇（おそらく作りもの）をからみつかせた女優たちの合唱隊が罪人を追うのだ。

エリニュスの機械的な罰

　エリニュスが登場するギリシャ悲劇のなかで特に知名度が高いのが、『オレステイア』という3部作構成の悲劇である。この物語はエリニュスを主題に置いており、エリニュスという女神の厳格さと融通のきかなさがよくわかる内容になっている。

　本作の主人公オレステスは、ミュケナイという国の王アガメムノンの息子だった。だがアガメムノンは自分の妻クリュタイムネストラと、彼女と密通関係にあった男アイギストスに殺されてしまった。夫殺しという自然の掟に反する行為にエリニュスは怒り、クリュタイムネストラの実の息子であるオレステスをそそのかし、実母を殺して父の復讐を果たさせる。

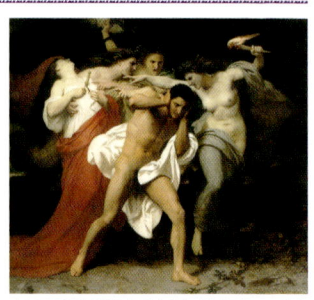

オレステスに罰を与えようとするエリニュスたち。19世紀フランスの画家、ウィリアム・アドルフ・ブグロー画。

　ところが、この行為はオレステスによる実母殺しという「自然の掟に反する行為」だった。そのためふたたびエリニュスがあらわれ、オレステスを罰しようと動き始めるのだ。いわばエリニュスは、犯された罪の種類に反応し、まるでロボットのように機械的に罰を降す、世界のシステムのような存在だといえよう。

　エリニュスのあまりに不条理な裁定に同情した神々は、エリニュスを説得して、オレステスが罪に問われるべきかどうかを、女神アテナを裁判長にした神々の裁判で決定することにした。太陽神アポロンがオレステスを弁護し、エリニュス自身が死んだクリュタイムネストラの弁護をすると、神々による投票の結果はちょうど半々に分かれた。そのためオレステスは、遠いタウリスの町から女神アルテミスの像を持ち帰ることを条件に罪を許されたという。

> エリニュス様が罰する罪って、ほかにはどんなものがありますの？　ふむふむ、お客さんへの無礼、「若者の年長者に対する無礼」……あははは、メティス様、お肩をお揉みしましょうか〜？

ティタン神族

こんなに似てる！ギリシャ神話と日本神話

> ギリシャはヨーロッパの文化先進地域だったんですってね！優れたギリシャの文化を、ローマをはじめとするヨーロッパ中の人々がうらやみ、真似したのですわ。

> しかも、ギリシャの神話が伝わっとるのはヨーロッパだけやないで。アジアにある「日本」っちゅう国にも、ギリシャの神話をまねしたとしか思えへん、そっくりの神話があるんや。

> 日本？　どこでしょうその国は……。
> ええっ!?　それって、この大陸の東の果てにある島国じゃないですか！なんでそんなところまで、ギリシャの神話が伝わっているんですか？

　ギリシャと日本は、ユーラシア大陸の西側と東の果てにあり、地球の裏側といってもいいくらい離れた場所にある。ところがこのふたつの土地に伝わる神話の内容が、奇妙なくらいよく似ているのだ。

ギリシャ神話の物語	日本神話の物語
デメテル（→p36）は娘ペルセポネを連れ去られたせいで物を食べなくなる。バウボという侍女がが性器を露出してふざけたので、デメテルは笑い、食物を口にした。	太陽神アマテラスは、弟の乱暴に怒って岩戸に隠れる。アメノウズメという女神が性器を露出して踊ったので、アマテラスは岩戸から出てきた。
ペルセポネ（→p36）は冥界の王ハデスに誘拐された。ペルセポネは冥界でザクロの実を食べたため、あやうく地上へ帰れなくなるところだった。	創造神の夫イザナギは、死者の国に行った妻イザナミを取り戻しにいくが、イザナミはすでに黄泉の食べ物を食べていたので、地上に戻れなくなっていた。
3兄弟のうち最高神ゼウスが天界を、ポセイドンが海を、ハデスが死者の国を統治する。	3姉弟は、最高神アマテラスが天界を、スサノオが海原を、ツクヨミが夜の世界を統治する。

　これら神話の類似は偶然ではない。日本神話研究の第一人者、大林太良博士は、日本神話にはギリシャから伝わった物語があることを指摘している。日本までギリシャ神話を運んだのは、中央アジアの騎馬民族、スキタイ人だという。

　スキタイ人は定住地を持たない騎馬遊牧民で、西はヨーロッパ東端の黒海、東は中国東北部までの非常に広い範囲を移動しながら暮らしていた。そして彼らは、ギリシャの文化の影響を強く受け継いだ民族だった。

　大林博士によれば、中国東北部にたどりついたスキタイ人の神話は朝鮮半島に伝わり、当時日本と友好関係にあった「百済」などを通じて日本に伝わった。上で紹介した日本神話の物語は、ギリシャから複数の民族を経由して、伝言ゲーム式に受け継がれてきたギリシャ神話の物語が変質したものなのだ。

みんなの未来を神託で明るく照らす
ポイベ

長音表記：ポイベー　ローマ名：なし　英語名：フィービ

「デルポイの神託所」をつくった女神

　ギリシャ神話の神聖な場所と言えば、神々が住むオリュンポス山や、ギリシャのシンボルでもあるパルテノン神殿が有名だが、それらに並ぶくらい重要な場所が、ギリシャ中央部のデルポイに存在する。ここには「デルポイの神託所」と呼ばれる神託の祭壇があり、神託所の巫女が太陽神アポロンのお告げを聞いて、時の権力者に伝えていた。

　この神託所ではじめに人間に神託を授けたのがどの神かには諸説あり、大

神託が降されたというデルポイのアポロン神殿の遺跡。撮影者：Patar knight

地母神ガイアだとも、ティタン神族の女神ポイベだともいわれる。ティタン神族は、ゼウス信仰に駆逐された古い神のため、現実世界では伝承の大半が失われている。ポイベの場合は月の女神だったという説が有力だ。

　ポイベは掟の女神テミス（→p106）とともにデルポイの神託所を運営していた。のちに神託所はピュトンという怪物に任されたが、アポロンがこの怪物を倒したためデルポイの神託所はポイベの孫であるアポロンのものになったという。

　デルポイの神託所の廃墟は今も残っている。哲学者プラトンの『カルミデス』によれば、かつて神託所には「己を知れ」「やりすぎれば元も子もなくなる」「むやみに誓えば災いをまねく」という標語が掲げられていたというが、これは現存していない。

もうひとりのポイベ

　ギリシャ神話には、ポイベと呼ばれる女神がほかにもいる。2柱目のポイベは、上のポイベより有名な女神、オリュンポス十二神のアルテミス（→p32）の異名である。

　アルテミスは神託所の神アポロンの双子の姉で、ポイベの孫にあたる。祖母と同じく月の女神であることが、ポイベ（「明るくかがやくもの」を意味する女性名詞）という名前の由来になったものと思われる。

> ポイベさんの英語読み「フィービ」は、なぜかヨーロッパでよく女性の名前に使われます〜。もしかしたら劇作家のシェイクスピアさんの作品に「フィービ」という名脇役が出てくるせいかもしれません〜。

ティタン神族

illustrated by れいあきら

女ゼウス、ここにあり！
ディオネ

長音表記：ディオーネー　ローマ名：不明

心優しき神々の母

　ディオネはティタン神族の一員のなかでも謎の多い女神である。一般的にティタン神族の神は12柱とされることが多いが、比較的新しい時代に神話をまとめたアポロドロスはディオネという女神を加えて13柱としている。血縁関係も諸説あり、クロノスの兄弟だったり、クロノスの兄である海神オケアノスの娘だったり、海神ポントスと大地母神ガイアの子ネレウスの娘だとすることもある。美の女神アプロディテ（➡p44）は泡から生まれたのではなく、ゼウスとディオネの娘だとすることもある。

　神話伝承にも、ディオネの能力や容貌を語るものは少ない。ホメロスの英雄叙事詩『イリアス』には、ディオネを「女神の中でも殊に美しい」と表現するくだりがあるが、伝承におけるディオネの外見の描写はそのくらいである。

　また『イリアス』では、ディオネはアプロディテの母として登場しており、戦場で傷を負って帰ってきた娘を優しく癒やしながらも、復讐心を燃やす娘に昔話をして諫める場面がある。また、月神アルテミスの母レト（➡p134）の出産神話では、ほかの女神とともにレトのもとに駆けつけている。

天空神ゼウスの「忘れられた妻」

　ギリシャ中部エペイロスの都市ドドナにあった神託所では、古くはディオネは全能神ゼウスの妃としてともに祀られていた。しかし、のちにこの立場が女神ヘラに取って代わられたようだ。つまりディオネは、ギリシャ神話が文字として書き残されるようになった時代では、すでに忘れられかけていた女神だったらしい。

　ちなみにディオネという名は、古代インド語で「天」を意味する「ゼウス」の女性形であることから、もともとは天空の神だったと推測されている。ディオネは、女版ゼウスとでも呼ぶべき女神だったのかもしれない。

3女神の像。それぞれディオネ、アプロディテ、かまどの女神ヘスティアだと考えられている。B.C.435年ころ、大英博物館蔵。

> ドドナの神託所につとめる祭司はんは、ディオネ様からのメッセージを解読するのが仕事なんやが、その解読法が「樫の木の葉っぱの揺れ方を観察して」導き出すんやて……難易度高すぎやろ！

illustrated by 天領セナ

産みも産んだり3000名
テテュス

長音表記：テーテュース　**ローマ名**：テテュス

母なる海と"産み"の女神

　大地母神ガイアと天空神ウラノスの娘として生まれ、先代最高神クロノスの姉である海の女神テテュスは、神としてどのような領分を持ち、神話でどのような活躍を見せているかというよりも、とにかく多くの子供を産んだ神として神話世界にその名を刻んだ女神である。

　この世のすべてを産んだ大地母神ガイアには当然かなわないが、テテュスの産んだ子供の数は1000名を軽く超える。夫である太陽神オケアノスとのあいだに産んだ、海と水、地下水の女神である「オケアニデス」の人数はなんと3000名、さらには世界中の川の神はこの夫婦の子供だという。まさに無数といえるほど多くの子供たちが世界中に散らばっているのだ。

　また、テテュスはオリュンポス神族とティタン神族の戦いが勃発したとき、自分たち夫妻は中立を保ちつつ、娘のひとりステュクス（→p120）に、ティタン神族を裏切ってゼウスに味方するよう命令した。また、のちにゼウスの正妻となるヘラ（→p22）をかくまって育てたのもテテュスたち夫妻である。ゼウスの覇権が成り立つうえでステュクスの果たした役割は大きく、ゼウスはそれを主導したテテュスたち夫妻、そしてその子供たちに、引き続き海や川を支配することを許している。

熟年離婚、波乱の余生

　テテュスたち夫妻の海底宮殿はヨーロッパの西側、大西洋の果てにあるという。彼らは基本的に仲のよい夫婦だったが、一度だけ大きな夫婦げんかをしたことがある。このときテテュスとオケアノスはおたがいに腹を立てて別居状態になってしまったのだが、これに心を痛めたある女神が夫婦の仲をとりもった。それがかつてテテュスたち夫妻に育てられた女神ヘラである。

　テテュスたち夫婦のケンカの原因が何だったのかは神話には描かれていないが、結婚契約の女神がその能力とコネを駆使して夫婦の仲をとりもてば、夫婦の仲直りはたやすいこと。ヘラは愛の女神アプロディテから「愛欲(ピロテス)」と「慕情(ヒメロス)」を借り受けてふたりの仲をとりもったという。愛欲と慕情によって夫婦仲が修復できる状況だったということは、テテュスたち夫婦は倦怠期におちいっていたのかもしれない。

ティタン神族

> ギリシャ神話には「テティス」という名前のニンフさんも登場します〜。こちらも重要な方ですけど、別人ですから混同しないようにしてくださいね〜？　テティスさんは156ページで紹介してますよ〜。

illustrated by asanuma

この川に誓って！
ステュクス

長音表記：ステュクス　ローマ名：ステュクス

神々の制約をあずかる女神

　神々の主神ゼウスと戦ったティタン神族は、自分たちの一族やニンフたちと多くの子供をもうけた。大洋の神オケアノスはテテュス（→p118）という女神とのあいだに大洋の乙女「オケアニデス」という一族を産んだ。そのなかでももっとも年長で、さらにすべての神々に恐れられているのが、誓いの女神ステュクスである。

　ゼウスは、父クロノスが率いるティタン族と戦うときに、自分に味方する神からは特権を奪わず、クロノスによって奪われた特権がある神にはそれを返すと約束した。その言葉を聞いて、真っ先に神々のいるオリュンポス山にやってきたのがステュクスだった。彼女は栄光、勝利、威力と暴力といった強力な息子や娘たちも引き連れていた。

　ステュクスの加勢に喜んだゼウスは、彼女に贈り物をした。神々が誓いを立てるときには彼女の名において誓いを立てさせることにしたのである。この誓いを破った神は、1年間飲んだり食べたりすることができなくなるばかりか、呼吸すら禁じられてしまう。さらに、その1年が過ぎたあとも、9年間は神々の社会から追放され、会議はおろか、宴にも出席できなくなる。それゆえ、神々は彼女を恐れるのだ。

地獄を巡る、毒の川

　ステュクスは、神話の世界にある、彼女の名前を冠した川の守護神でもある。ステュクス川は「憎しみの河」ともいわれ、現世と冥界のあいだにあり、冥界を7巡り、または9巡りもするほどの大河だ。

　神々が誓いを立てるときは、この水が必要となる。そのときになるとゼウスの命令で、虹の女神イリス（→p126）が黄金の水差しを持ってきて水をくむ。このステュクス川は、普通の川に流れ込んでも、まるで油のように他の水に混じらず、水面を流れていく。この川の水は硫黄を含んでいるともいわれ、大地にまくと作物がだめになったり、羊の群れを殺すなどの強い毒性がある。

　しかし、この毒を福に転じたのが英雄アキレウスだ。彼の母テティス（→p156）は、息子が将来厳しい運命にさらされることを知って、彼を不死身にしてそれに対抗しようとしたのだ。テティスは生まれてすぐのアキレウスをステュクス川に浸し、それによってアキレウスは不死身の体を手に入れたのである。

> 現実世界のギリシャにも、ステュクスっていう川は実在するんですって。ただ、この川の水には神話とおなじように毒があると考えられていたそうですわ。神話でも現実でも、普通の川じゃありませんわね。

ティタン神族

illustrated by しまちよ

髪の毛つかむの絶対禁止
テュケ

長音表記：テュケー　ローマ名：フォルトゥナ　英語名：フォーチュン

運命を運ぶ女神

　人間が大事なことをするときに、神に幸運を祈るのは万国共通だ。ギリシャ神話の場合、運命の女神はテュケという名前である。ときに「幸運の女神」と呼ばれることもあるが、彼女は幸運だけでなく不幸も運んでくる存在だ。絵画や彫刻などでは、テュケは頭に冠をかぶり、無数の作物をつめた牛の角、運命の輪とともに描かれる。運命の女神が気まぐれであることを示すため、テュケは盲目の姿で描かれることもあった。

　理由は不明だが、テュケは都市の守護神とみなされることもあった。しかも都市ごとにテュケの姿は違った形に設定されており、いわば各都市が「ご当地のテュケ様」を持っていたわけだ。また、テュケがかぶっている冠の形は、実は都市の城壁をかたどったものだ。古代ギリシャの軍隊では、攻城戦で敵の城壁に一番乗りを果たした勇敢な兵士に、テュケと同じ城壁型の冠が与えられたという。

フォルトゥナ：ローマでのテュケ

　フォルトゥナは、もともとは豊穣多産の女神だったが、予言の女神に変わり、最後にギリシャのテュケと同じ神だとみなされたために運命の女神になったという経歴を持つ。彼女は幸運の女神のときは「フォルトゥナ・ボナ」、不運の女神のときは「フォルトゥナ・マラ」といったように、ときに応じて名前と特性が変化する。これは唐突かつ予想外な人間の運勢をあらわしているものであり、いずれかの女神があらわれたからといって、その運命が不可避になるわけではない。

　フォルトゥナはローマにおいて重要な女神であると考えられており、ローマに近いイタリア半島中部のプラエネステには、半島最大の広さを持つ神域に、巨大なフォルトゥナ神殿が置かれていた。

　中世ヨーロッパではローマ神話を題材にした絵画が多数描かれたが、フォルトゥナは後ろ髪を結い上げ、前髪を伸ばした姿で描かれることが多い。これは、「幸運の女神の後ろ髪をつかむことはできない」という、中世の流行語を、フォルトゥナの後ろ髪を"つかめない髪型"にすることで表現したものだ。

ティタン神族

> ちなみに後ろ髪をつかめない神様はギリシャにもいらっしゃいます。チャンスの神カイロスさんというのですが、前髪が長くて、後頭部が……あのですね、ハゲちゃってるのだそうです。

illustrated by まさる.jp

あなたに勝利をお運びします！
ニケ

長音表記：ニーケー　ローマ名：ウィクトーリア　英語名：ナイキ

翼を持った勝利の女神

　ギリシャ神話には、まるでキリスト教の天使のように、鳥の翼をもつ神がいる。有名なのは、射た者を恋に落ちさせるキューピッドとして有名な「エロス」（→p136）だが、ほかにも勝利の女神「ニケ」がいる。彼女は、右にあげた頭と腕のない石造「サモトラケのニケ像」の題材として特に有名である。

　ニケとは古代ギリシャ語で勝利を意味する言葉で、女神ニケは、勝利という概念に人格を与えた神である。彼女は色白な体に純白の翼と、燃えるように美しい金髪をもつ女神だ。片手に花輪、もう片手に棕櫚（シュロ）という木の枝を持ち、勝利者たちの頭上に勝利の冠を掲げるという。

　ニケのローマ神話での名前はウィクトーリアである。このローマ名は、英語で勝利を意味する単語「ヴィクトリー」の語源となっている。

ギリシャのサモトラケ島で発掘されたニケの彫像。フランス、ルーヴル美術館蔵。

どちらにいるかで勝者が決まる

　ニケは、最高神ゼウスのライバルであるティタン神族の女神ステュクス（→p120）の娘で、ゼロス（競争）、クラトス（支配）、ビア（暴力）などの兄弟がいる。ティタン神族に対してゼウスが率いるオリュンポス神族が反乱を起こし、「ティタノマキア」（→p170）という大戦争が起きたとき、ニケの母親であるステュクスはいちはやくティタン神族を裏切り、子供たちとともにオリュンポス神族に協力した。競争、暴力、勝利（ニケ）、支配の名を持つ神々が一斉に離反したのだから、ティタン神族としてはたまったものではない。

　こうしてオリュンポス神族が戦争に勝利すると、ニケは彼らに勝利を運んだ女神として高く評価された。その後ニケは、ゼウスの愛娘アテナの従者となり、英雄たちに加護を授けたり、スポーツにおける勝利の女神となっている。

> この英語名、聞いたことがあると思ったら、現代のスポーツ用品メーカーの「ナイキ」の名前でしたわ！　あの"J"を斜めにしたようなロゴは「スウッシュ」といって、ニケ様の翼をイメージしてるんですって。

ティタン神族

illustrated by 林檎ゆゆ

到着！ 虹色メッセンジャー！
イリス

長音表記：イーリス　ローマ名：イリス、アルクス　英語名：アイリス

神々の伝令役

　ティタン神族の血を引く女神イリスは虹の女神である。オリュンポス十二神に従う神々のなかで、イリスは地位的には下級の神にすぎないが、彼女はその地位に見合わないほど頻繁に神話の物語に登場する。なぜなら彼女は、神と神、神と人間のあいだにメッセージを伝える伝令役だからだ。イリスは別名をアエロポスといい、その意味は、「風のごとく速き者」である。その名のとおり、イリスの足の速さはまるで疾風のようだといわれている。

　神話のなかにはイリスの外見を伝える描写はないが、古代ギリシャの絵壺に描かれた絵などでは、背中に黄金の翼を生やし、左手には使者であることを示す杖を持ち、右手には水差しを持っていることが多い。ただしイリスは信仰の対象になるような重要な神ではなかったので、イリスの彫像などは現存していない。

ロードアイランドスクールオブデザイン（在ニューヨーク市）博物館所蔵の壺絵より、翼、水差し、杖のあるイリス。

　もともとイリスという名前は、ギリシャ語で「伝える、話す」を意味する「エイロ」から派生して生まれたもので、イリスが果たす役割を意味している。だが、「イリス」という単語には「虹」の意味もある。虹は、神々が住まう天界へつながるかのごとく空に架かるが、すぐに消えてしまう。そのためギリシャ人たちは、神々の伝令役であるイリスと虹を結びつけたのである。

イリス／アルクス：ローマでのイリス

　ローマ神話にはイリスがほとんどそのままの名前で輸入された。絵画などでは、虹はイリスの通り道、あるいはイリスが通った跡として描かれるようになった。イリスが空からやってくると、さまざまな色で飾られた道＝虹ができる。また、用を終えて飛び立つと、その軌跡が虹となるのだ。ローマでは彼女はアルクスとも呼ばれた。アルクスとはアーチ、すなわち虹が描く"弧"のことである。

> ギリシャ神話の女神様には翼がある方が多いですけど、イリスさんの翼は美しい金色の特別製です。ですから「金色の翼を持つ」という意味の、「クリソプテロン」という異名を持っているそうですよ。

ティタン神族

illustrated by ケい

眠るあなたと恋しよう
セレネ

長音表記：セレーネー　**ローマ名**：ルナ　**英語名**：ムーン

夜空を駆ける月の女神

　ギリシャ神話における月の女神といえば、アルテミス（➡p32）が有名だ。しかし、アルテミスのページでも書いたように、彼女が月と関連づけられたのは比較的あとの時代である。それまでは月の女神といえば、このセレネのことだった。

　彼女はティタン神族である、太陽神ヒュペリオンと女神テイアの娘であり、暁の女神エオス（➡p130）と太陽神ヘリオス（➡p137）とはきょうだいである。ゼウスから求愛を受けるほど美しく、一説では大きな翼があったとも伝えられる。

　セレネの役目は、輝くローブを身にまとい、輝く馬に引かせた戦車で夜空を駆けることだ。一説では黄金の王冠をかぶり、これで暗い夜道を照らすともいう。

エンデュミオンとの変わった恋愛

　セレネにまつわる物語はほとんど残っていない。これには同じ月の女神であるアルテミスやヘカテが有名になったため、本来はセレネの物語だったものがアルテミスやヘカテの物語に変化したからではないか、という説がある。残っているセレネの神話で有名なのは、羊飼いの青年エンデュミオンとの恋物語だ。この神話は細部が違うバージョンがいくつもあるが、概要は以下のとおりである。

　セレネは、人間のなかでもっとも美しいというエンデュミオンに一目惚れをする。彼女はエンデュミオンが山の洞窟で眠っているときに彼の元を訪れ、夢の中に入り込んで密会を楽しんでいたが、人間であるエンデュミオンがいずれ老いることを悲しみ、彼に不死と永遠の若さを与えるようゼウスに懇願する。ゼウスは「エンデュミオンが永遠に眠り続けていること」を条件に願いを聞き入れたのである。

　こうしてエンデュミオンは眠りについたままであったが、セレネは困らなかった。なぜなら、夢の中で常にエンデュミオンと会うことができたからである。

眠るエンデュミオンの元を訪れるセレネ。18世紀イタリアの画家セバスティノ・リッキ画。この物語は絵画や彫刻の題材としてよく使われたという。

> 夢の中でデートするだけで満足できるのか？　いい質問ですよ〜。実はセレネさん、寝ているエンデュミオン君と交わって50人も子供を産んでます〜。寝てる男性ってあそこがアレですし、できますよね〜♪

illustrated by 如月瑞

恋せよ夜明けの女神
エオス

長音表記：エーオース　ローマ名：アウローラ　英語名：アウローラ

夜明けを告げる女神

　エオスとは古典ギリシア語で「暁」、つまり夜明けを意味する言葉だ。女神エオスはその名のとおり暁の女神である。ローマ神話ではアウローラと呼ばれ、後世において（自然現象の）オーロラの語源となった。

　彼女の家族には天空に関する神々が多く、父母は太陽神ヒュペリオンと女神テイアで、きょうだいに太陽神ヘリオスと月の女神セレネがいる。さらに星空の神アストライオスを最初の夫とし、西風の神ゼピュロス（→p137）などを産んだ。

戦車に乗って空を飛ぶエオス。翼をもつ女神の姿で描かれている。B.C.430-420年ころ、ミュンヘン市古代美術博物館蔵。

　エオスの仕事は、毎朝パエトン（輝かしきもの）とラムボス（光）という２頭の馬に引かれた紫色の戦車に乗って、太陽の神であるヘリオスの先駆けとして天空の門戸を開くことである。朝の最初の微光を人々に投げかけるのはエオスなのだ。このことから、詩人ホメロスは著作『イリアス』の中で、朝の訪れを「暁の女神は（恋人の）ティトノスとの添い寝の臥所から起き上がり……」と表現した。

　そのほかにもエオスには「薔薇色の指先をした」「サフラン色の衣をまとった」など、暁のイメージと絡めた多くの形容がある。

恋すれど恋すれど……

　エオスはあるとき軍神アレスとよい仲になった。しかしアレスは美の女神アプロディテの恋人でもあったため、エオスは彼女の嫉妬を買い、「数多くの人間の男に恋する」呪いをかけられてしまった。

　以降エオスは何人もの人間の男を愛することになるが、恋はいずれも不幸な結末を迎える。例えばティトノスという男と恋仲になったときは、エオスは全能神ゼウスに頼んで彼を不死にしてもらったものの、不老を願うのを忘れてしまう。ティトノスが若いうちは仲よく暮らしていたが、やがて醜く老いるとエオスは彼を見捨ててしまったのだった。神々はティトノスを哀れんで蝉に変えてやったという。

> ……はっ、エオス様が朝の始まりを告げる神様ということは、万が一エオス様が寝坊したら、世界には朝が来ないってことではありませんか？　せ、責任重大ですね……。

ティタン神族

illustrated by ふゆ餅

海より深い奥様のフトコロ
アムピトリテ
長音表記：アムピトリテー　ローマ名：アムピトリテ、サラシア

海の最高神を支える妻

　ギリシャ神話世界の海には多くの海神がいるが、そのすべては最高神ゼウスの兄である海神ポセイドン（➡p31）に統括されている。このポセイドンの妻はアムピトリテといって、海の女性的な側面を神格化した女神だ。

　アムピトリテは青黒い瞳を持ち、大波を起こし嵐を鎮めることができる。ポセイドンの海を駆ける戦車にポセイドンと同乗していたり、ポセイドンの海の支配権をあらわす武器である三叉矛トリアイナを持った姿で描かれることもある。

　アムピトリテは、海に住む魚や、アザラシといった海獣たちの母親のような存在だ。なかでも彼女はイルカと関係が深い。神話によると、ポセイドンが彼女に求婚したとき、アムピトリテはその求婚を一度断ったあと、どこかに隠れてしまった。このとき彼女の居場所を見つけて報告したのがイルカなのだ。

　彼女の夫であるポセイドンは、最高神ゼウスと同じように性欲旺盛な浮気者である。ゼウスの正妻ヘラ（➡p22）は、ゼウスが浮気をするたびに激怒し、浮気相手やその子供に復讐をするが、アムピトリテは懐が深くじっと耐えながら夫の愛情が自分に戻ってくるのを待っているし、夫が浮気相手に産ませた子供（英雄テセウス）に対しても優しく接している。だがそんな彼女も一度だけ、ポセイドンの浮気に本気で怒ったことがある。絶世の美女として有名だった「スキュラ」（➡p156）というニンフにポセイドンが求愛したとき、アムピトリテは嫉妬のあまり、スキュラが身を清めるのに使っていた池に、魔法の薬草を投げ込み、その水に漬かったスキュラを醜い怪物の姿に変えてしまったのである（ただし、魔女ヘカテが犯人だとする物語も有名）。

ニンフなのか女神なのか

　海の最高神ポセイドンの妻という重要な女神なのに、アムピトリテの出自には資料ごとにブレが多い。多くの資料では、彼女は海神オケアノスと女神テテュスの娘であるオケアニデスの長女、または海神ネレウスとオケアニデスの娘ドリスの娘であるネレイデスのひとりだという。ネレイデスとは神ではなく海のニンフの呼び名であり、額面どおりに受け取ると彼女は女神ではないことになってしまう。しかし、アムピトリテが女神として信仰対象になっていたのは間違いのない事実だ。

ティタン神族

　ギリシャのはるか南東に、聖ヨハネ騎士団の本拠地として有名な、ロードス島という島があります〜。この名前はアムピトリテさんの娘で、太陽神ヘリオス君の奥さんになったロデちゃんの名前が由来なんです〜。

illustrated by キヨイチ

子供を産むのは命がけ
レト

長音表記：レートー　ローマ名：ラートーナ

命がけの出産騒動

　ゼウスが神々の王となったあと、敗者であるティタン神族の神々のなかには神話から忘れ去られてしまった者が多い。だがこの女神レトは、神話の主役がゼウスたちオリュンポス神族に移ったあとも、長く信仰されていた珍しい女神である。ティタン神族の長クロノスの姉である女神ポイベ（➡p114）の娘で、黒衣をまとっておとなしく、オリュンポスの神々のなかでいちばん柔和な性格だとされる。

　だが人間にも神々にも優しい彼女には、過酷な運命が待っていた。ゼウスの愛人となり、子供をみごもったことで、ゼウスの妻ヘラの怒りを買ってしまったのである。ヘラの怒りを恐れて逃げ出したレトだったが、ヘラは今世界に存在するすべての大地に、レトが子供を産む場所を提供しないように呼びかけた。これではレトは、永遠に出産できないまま、陣痛に苦しめられることになってしまう。

　苦痛から抜け出す唯一の方法は、ヘラの呼びかけの時点でまだ存在していなかった新しい大地で出産をすることだ。するとエーゲ海に「オルテュギア」という島があらわれ、レトはここで海神ポセイドンの守護を受けながら出産に臨むことになった。

　しかし出産の場所を手に入れても、結婚と出産の女神ヘラの意向に背いて子供を産むことはできず、レトは９日９晩ものあいだ、終わることのない陣痛の苦しみにさらされることになった。

　レトの苦痛をかわいそうに思った神々は、ヘラの娘で出産の女神エイレイテュイア（➡p147）に多額の贈り物をして説得。ヘラに黙ってやってきた彼女の助けで、レトはようやく子供を産むことができた。こうして産まれたのが、ギリシャでも指折りの優秀な神、アポロン（➡p35）とアルテミス（➡p32）の双子神だったのだ。

産んだ子供に守られて暮らす

　アポロンとアルテミスは母親レトのことを深く愛しており、彼女を傷つける者には容赦しなかった。親子を亡きものにしようとした怪物ピュトンを退治をしたかと思えば、彼女たち親子より自分のほうが多くの子供を産んだと誇った人間の女性ニオベに対して、14人の子供全員を射殺してその傲慢に対する罰とした。こうしてレトは、かなり過激なまでに母親思いの子供たちに守られているのである。

ティタン神族

> レト様が出産に使ったオルテュギアという島は、実はゼウス様の求愛を拒んだレト様の妹、アステリア様が姿を変えたものなんや。レト様は妹はんのおかげで娘たちを産むことができたっちゅうわけやな。

illustrated by みちた

ギリシャの男神、精霊紹介

> 素敵な男性を探すっていっても、ヘラ様に紹介していただいた神様は既婚者ばかりで、結婚相手としてはちょっと問題ありますわ。素敵な独身の神様はいないのかしら、メティス先生、ほかにはどんな男性の神様がいらっしゃるんですかー？

●アスクレピオス

太陽神アポロンと人間女性の息子で、死亡した母体から取り出され、ケンタウロスの賢者ケイロンのもとで医術を学んだ。彼は神としては例外的に不死ではなく、死んだ人間を蘇生させる医術を行ったためゼウスに罰せられ、雷に打たれて死亡した。

父アポロンは死んだ彼を星空にあげ、蛇使い座に変えたという。

●アトラス

ティタン神族の力自慢の神。神々の大戦争「ティタノマキア（➡p170）」でアティタン神族が敗れたため、敗者への罰として、世界の西の果てで全身で天空を支えるという重労働を課せられている。

●ウラノス

ギリシャ神話の天空神、あるいは天空そのもの。大地母神ガイアが単独で産み、その後ガイアの夫となった。

ギリシャ神話の初代最高神だったが、醜い息子への虐待を繰り返したため妻ガイアや息子たちの信頼を失い、末の子クロノスに鎌で男性器を切り落とされて最高神の地位を失った。

●エレボス

「暗黒」という意味の名前を持つ闇の神。原初の混沌カオスから生まれ、夜の女神ニュクス（➡p88）と結婚し、子供として昼の女神ヘメラ（➡p90）と光の神アイテルが生まれている。

●エロス

英語ではキューピッドという名前で知られる愛の神。もともとは背中に翼を生やした青年だったが、後世になって羽を生やした幼児として描かれることが多くなった。

撃たれた者に恋心を起こさせる矢と、相手を拒絶する矢を持っている。この矢には神々すら抵抗できず、矢の力を無効化できるのはゼウスに処女神の誓いを立てたヘスティア、アテナ、アルテミスだけである。

●オケアノス

ティタン神族の海神。ヨーロッパを取り巻く外洋と海流の神であり、大西洋の海底に宮殿を持っている。

神々の大戦争「ティタノマキア」では当初から中立を保つ一方、自分の子供をゼウスたちオリュンポス神族に味方させたため、戦後にもその貢献を高く評価されて、オリュンポスの神々のなかでも高い地位を与えられている。

●オピオン

ティタン神族の蛇神。妻はオケアニデスのひとり、エウリュノメ（➡p147）。ゼウスがオリュンポスを支配する前に、オリュンポス山を本拠地としてクロノスと戦い、敗れたことがある。

●カロン

日本で言う三途の川に相当する冥界の川アケロンで、死者の魂を小舟で向こう岸に移動させる渡し守。髪とひげが長い無

ティタン神族

愛想な老人の姿で描かれる。
　死者の魂がアケロン川を渡りたい場合、カロンに渡し賃として銅貨1枚を支払えばすぐに渡らせてくれるため、ギリシャでは死者の口の中に銅貨1枚を入れて埋葬する習慣があった。

●キュクロプス
　英語読みのサイクロプスも有名。大地母神ガイアと天空神ウラノスの息子たちで、単眼の巨人族である。鍛治師の才能があり、ギリシャ神話の3大神であるゼウス、ポセイドン、ハデスの持つ主武器や道具は彼らの作品だという説が有力。

●クロノス
　大地母神ガイアと天空神クロノスの末の子である農耕神。兄弟の一部に虐待を繰り返す父ウラノスを最高神の座から追放するため、鎌でウラノスの男性器を切断した。
　その後、ウラノスから「自分の子供に権力を奪われる」と呪いの予言を受けたのを恐れ、生まれる子供をすべて飲み込んで難を逃れようとした。だがこのもくろみは女神レアの妨害で失敗し、息子ゼウスとその兄弟に敗れ、冥界タルタロスに幽閉された。

●ケイロン
　人間の上半身と山羊の下半身を持つ種族ケンタウロスの賢者で、一説によれば世界にはじめて誕生したケンタウロスだとも言われている。

●ゼピュロス
　四方の風の神であるアネモイのひとりで、西から吹く優しい風、春を告げる風を神格化した神。
　アネモイにはほかにも、北風ボレアス、東風エウロス、南風ノトスがいる。

●トリトン
　海神ポセイドンとアムピトリテ（➡p132）の息子。人間男性の上半身と、魚の下半身を持つ人魚のような姿で描かれる。ホラ貝を吹くことで波をあやつる。

●パン
　羊飼いの守護神。山羊の下半身と人間の上半身を持ち、頭から山羊の角が生えている。音楽を好み、好色なのが特徴。その姿や性格はギリシャ神話の野山の精霊サテュロスとそっくりであり、両者はよく混同される。

●ヘラクレス
　ゼウスと人間女性アルクメネ（➡p24）の子で、人類最強の戦士。達成困難な12の試練「十二の功業」で、武器が効かないネメアの獅子、首が増える不死身の多頭蛇ヒュドラなどと戦った神話で知られる。神々の戦い「ギガントマキア（➡p171）」に援軍として参加したこともある。死後は天に上げられて神となった。

●ヘリオス
　ティタン神族の太陽神だが、ゼウスに降伏してその部下となった。世界の東の果てに宮殿を持ち、暁の女神エオスが赤く染めた空に太陽を乗せた戦車を駆って登場し、西の空へ走り去っていくのが仕事である。
　ヘリオスは常に天空から地上を見ているため情報通で、神々の不祥事や世界の異変に気づくと、それをしかるべき神に伝えることがある。

●ポントス
　大地母神ガイアがひとりで産んだ神で、海を神格化した神である。ギリシャでゼウス信仰が確立する前に信仰されていた神であり、固有の神話は現在残されていない。

いつまで逃げればいいの!?
プレイオネ

長音表記：プレーイオネー　ローマ名：プレイオネ

星になった母娘

　プレイオネという名前に心当たりはなくても、星にくわしい人ならば、「プレアデス」と言えばピンとくる人が多いだろう。女神プレイオネは海神オケアノスとテテュス（→p118）の娘「オケアニデス」の一員であり、世界を支える巨人アトラスとのあいだに7人の美しいニンフの娘「プレアデス」を産んでいる。このプレアデスという娘たちは、夏の夜空に輝く「プレアデス星団」の名前の元になった存在だ。

　プレアデス星団は、夏の星座「おうし座」の近くにある、無数の青白い恒星が連なる天体である。肉眼では目がよければ7個～9個程度の星が確認可能で、特に明るい9個の星には、プレイオネと夫アトラス、そして7人の娘の名前がつけられている。娘たちの名前と、プレアデス星団の星との対応は以下のとおりだ。

■プレアデス星団の星の位置と、人物名の対応

星の位置	名前	名前の意味	恋人
1	プレイオネ	豊富	アトラスの妻
2	アトラス	忍耐	プレイオネの夫
3	マイア	癒しの母	雷神ゼウス
4	タユゲテ	タユゲテ山の	雷神ゼウス
5	ステロペ	星の顔	軍神アレス
6	メロペ	きらめく顔	人間シーシュポス
7	アルキュオネ	強力な助手	海神ポセイドン
8	エレクトラ	琥珀色	雷神ゼウス
9	ケライノ	黒、闇	海神ポセイドン

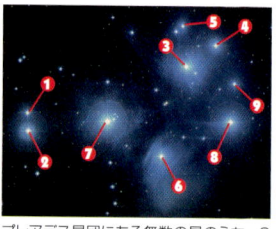

プレアデス星団にある無数の星のうち、9つの星に、プレイオネとその夫、さらにプレアデス7姉妹の名前がつけられている。

　プレイオネと7人の娘たちが星の名前になった理由は、1世紀のエジプトでまとめられたギリシャ神話の論文『カタステリスモイ』（星々の配置）に紹介されている。この文書は、古代ギリシャで知られていた「トレミーの48星座」のうち43の星座についての神話を解説したものだ。

　その神話によれば、プレアデスの7姉妹は山のニンフであり、母のプレイオネとともに自由に暮らしていた。ところが彼女たちの美しさに、ギリシャ神話の人間のなかで屈指の狩人として知られるオリオンが目をつけた。美しい母娘を我がものにしようと追いかけてくるオリオンに対し、プレイオネと娘たちは必死で逃げ続けたが、オリオンがなんと7年ものあいだ執拗に追跡を続けたため、ゼウスはやむをえずプレイオネ母娘を天空に上げ、星に変えてオリオンの追跡から守ったという。

　ところが後日、オリオンは「この世に自分が倒せない獲物はいない」と高慢な発言をしたため神の怒りに触れ、サソリの毒針で刺し殺され、天にあげられて星座となった。

ティタン神族

138

このオリオンが天空で配置された場所が、なんとプレイオネたちが変化した星であるプレアデス星団のすぐ隣だったのである。そのためプレイオネとプレアデスの姉妹たちは、天空でもオリオンに追い回されているのだという。

姉妹が星になった別の理由

プレイオネとプレアデス姉妹の神話には、内容が違うものが複数存在する。別の神話によれば、プレアデス姉妹は、彼女たちと同じ父親を持つ7人姉妹「ヒュアス」（→p157）たちと仲がよかったのだが、ヒュアスたちが兄弟の死に絶望して全員自殺してしまい、それにショックを受けたプレアデスたちもあとを追って自殺してしまった。そのためゼウスは彼女たちを天に上げ、ヒュアスの姉妹はヒアデス星団、プレアデスの姉妹はプレアデス星団として近くに置いたのだという。

プレイアデスの7姉妹。1885年、オランダ系アメリカ人画家エリュー・ヴェッダー画。ニューヨーク、メトロポリタン美術館蔵。

また、プレアデスの星々は明るさに違いがある。古代ギリシャでは、プレアデスの7つの星なかでひとつだけ暗い星があると見られていた。神話では、プレアデス星団にひとつ暗い星がある理由について「姉妹のひとりメロペが、ひとりだけ神ではなく人間を伴侶としたため恥ずかしがっている」、または「エレクトラの息子ダルダノスが築いたトロイア王国が、トロイア戦争という戦いで滅亡したため、それを嘆き悲しんでいるため」という説明がなされている。

たったひとつの星の明るさを説明するために、いくつもの神話が作られているのは不思議に思えるが、これには理由がある。ギリシャの3方を囲んでいるエーゲ海では、プレアデス星団が空に見られるのは5月から11月初旬までの暖かい時期で、航海をするのに適していた。また農業の分野では、プレアデス星団が夕方の西の空に見られる時期（春の一時期）を、畑を耕すのに適した時期だとして、農作業を行う基準にしていた。このようにプレアデス星団はギリシャ人の生活の指針となる星で、ギリシャ人はその様子や動きに深い関心を寄せていたのである。

ふたりのマイア

プレアデスの長女マイアは、ゼウスと交わって伝令神ヘルメス（→p61）の母親となった存在だ。ローマ神話にも同名の豊穣の女神がおり、よく混同されるのだが本来は無関係な神である。ちなみにローマでは、後者のマイアに供物を捧げる祭が5月1日にあり、これが労働者の権利要求の日「メーデー」の前身だとされている。

> プレアデスの皆さんは、このほかにも、99ページで紹介したディオニュソス様の乳母役をつとめたりいろんなとこで活躍してはる。オリオンはんが追い回すのも納得の人気者ぶりや。

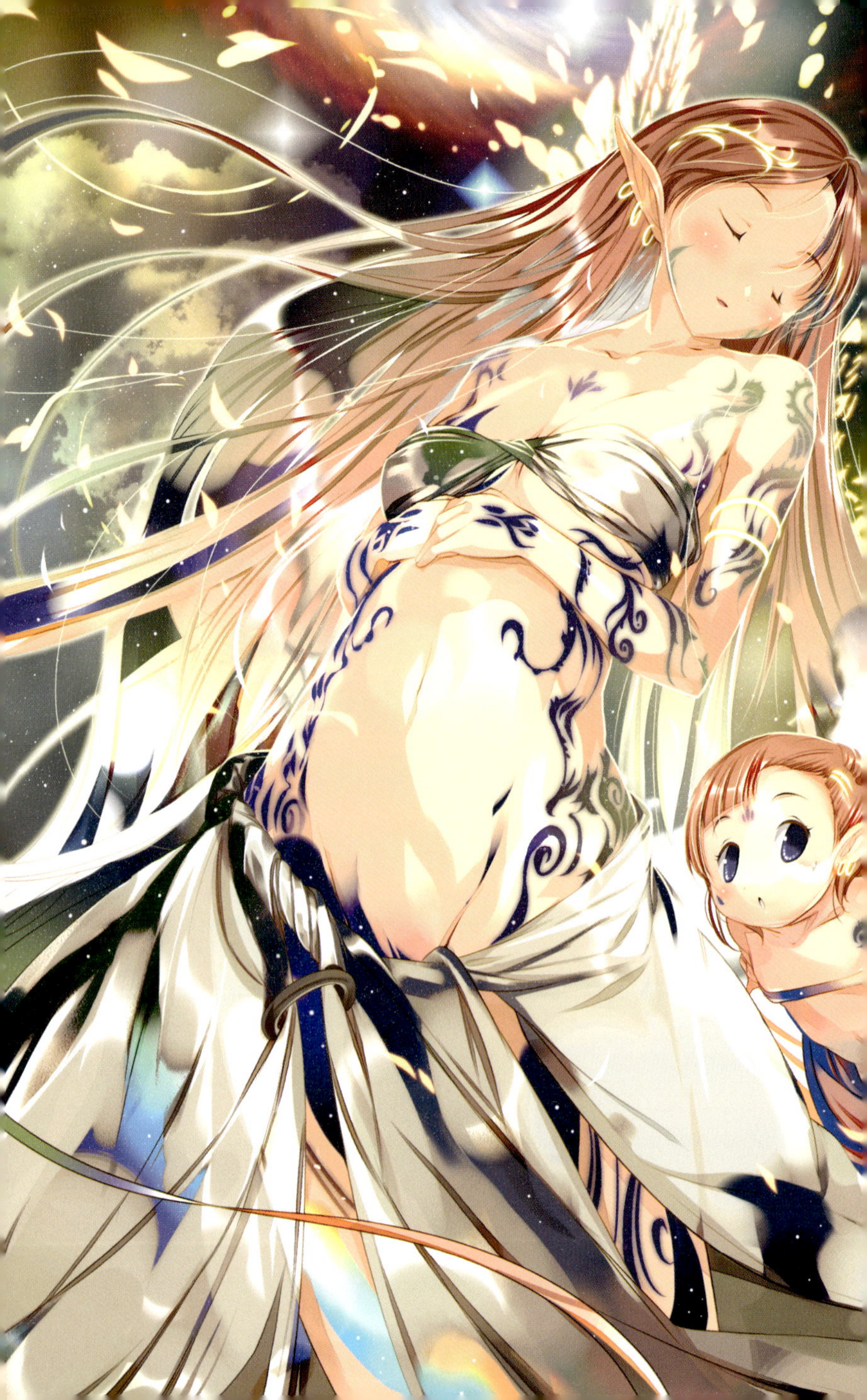

illustrated by はんぺん

真夜中の辻は彼女の祭壇
ヘカテ

長音表記：ヘカテー　ローマ名：トリヴィア　英語名：ヘカテ

月と冥界の女神

　ヘカテは、「月」と「冥界」という、ふたつの重要なものを自分の領分としている女神だ。そして彼女は魔術の女神としても知られている。

　本書ではここまで、古い月の女神としてセレネ（→p128）と、新しい月の女神としてアルテミス（→p32）を紹介してきたが、ヘカテは3柱目の月の女神ということになる。のちにアルテミスの神話や信仰が盛んになったことで、セレネとヘカテの月の女神という属性は薄れていくが、3柱の月の女神がともに並び立っていた時期、一部には「月の月齢によって、担当する女神が異なる」という信仰があった。満月はセレネの月であり、三日月などの欠けた月はアルテミスの月、そしてヘカテは、月面に光が当たらず月が光らない状態である「新月」を担当する。地下世界「冥

3つの体を持つヘカテを描いた像のスケッチ。こうした姿は、3つの属性がひとつになっているという考えから、しばしば「三相一体」と呼ばれた。

界」の女神であるヘカテにふさわしい役割分担だといえよう。

　そして冥界の女神としてのヘカテは、冥界の王であるハデス（→p82）と、その妻ペルセポネ（→p36）に次ぐ実力者であった。冥界の女王であるヘカテは、夜になると猟犬を引き連れ死霊とともに道を歩いたり、墓や畑に出没するという。そのためか、ヘカテを信仰する人々は道にお供え物をしたり、道と道が交わる交差点や三叉路などにヘカテの像を立てたりした。

　時代が下ると、ヘカテは「3つの顔または体を持ち、松明を手にして地獄の猟犬を従えた」姿で描かれるようになる。この"3つの体"とは、ヘカテの権威が天上、地上、地下（冥界）すべてに及ぶことや、「過去・現在・未来」「誕生・生・死」といった、ひとつの事柄に対する3つの側面をあらわしているとされる。

　また、中世以降になると、ヘカテはいわゆる"魔女"や魔術師たちから崇拝されるようになった。これは、ヘカテが魔術を操る女神であったことや夜の女神とされたことなどに由来していると考えられている。

ティタン神族

illustrated by ジョンティー

ヘシオドスが讃えた全能の女神

　ヘカテの力や支配権は冥界という枠を超え、天上、海、地上とあらゆる世界に及ぶほどだった。人々に富や勝利を与え、家畜などの繁栄を見守り、航海の守護神でもあり、全能といっていいほどのものだ。ヘカテという名前も、「遠くにある女」あるいは「遠くにまで力の及ぶ女」という意味であるという。このように強大な神であるため、ギリシャ神話の最高神であるゼウスすらヘカテには一目置いていた。

　ただし、このようにヘカテのことを持ち上げる記述は、ギリシャ神話初期の２大詩人の片割れであるヘシオドス（➡p179）の著書にしか見られない。同時代の詩人で、長編物語『イリアス』の作者であるホメロスの作品には、ヘカテはまったく登場しないのだ。この違いは、両者の出身地から来ていると思われる。

　ヘカテはもともと、現在のギリシャの北西にある隣国、ブルガリア共和国があるあたりの地域と、ギリシャ西部のボイオティア地方の両方で篤く信仰されていた神だったらしい。そしてヘカテを紹介する詩人ヘシオドスはボイオティア地方の出身だったといわれている。一方で同時代の代表的詩人ホメロスは、現在のトルコ西部出身である。

　つまりヘシオドスは、ギリシャ各地の神話をまとめるにあたり、故郷において重要な神として信仰されていたヘカテに重要な位置を与えたのではないかと思われる。

ヘカテとアルテミス、アポロンの関係

　ヘカテの出生については諸説あり一定していないのだが、数多く存在するヘカテの血縁関係を調べてみると、ほとんどの説で太陽神アポロンと月女神アルテミスに近い血縁関係にあったことがわかる。

　ヘカテとアルテミスがどちらも月の女神であることは先に説明した。さらにふたりは、妊婦の守護神であり、出産の手助けをする女神だという。

　さらに、ヘカテという名前は、アポロンの異名である「ヘカテ」「ヘカトス」と同じ語源を持つ。神話での血縁関係から見ても、この３柱の神が成り立つまでのあいだに何らかの深い関係があったことは間違いなさそうだ。

トリウィア：ローマでのヘカテ

　ローマではヘカテのことを「トリウィア」という名前で呼ぶことがあった。これはヘカテが三叉路で儀式を行う魔術の女神であることからついた、ローマでのヘカテの呼び名である。ローマではヘカテの月の属性は薄れており、魔術、猟犬、分かれ道の女神として信仰されていたようだ。

ティタン神族

> 夜中に、誰もいないのにワンちゃんが吠えることがありますよね〜？　ギリシャの人たちに聞くと、あれは、ヘカテさんが姿を消して近づいてくるのに気づいたワンちゃんが吠えているんだそうです〜。

女神、ニンフ小事典
Encycropedia of goddes&nymphs

この章では、カラーページで紹介しきれなかった
ギリシャの女神たちと、女神と人間の中間の存在で
ある精霊「ニンフ」たちを紹介します。

illustrated by 皐月メイ

ヘスペリス

ギリシャ神話の女神小事典

このページではね～、カラーページでは紹介しきれなかった女神様を21柱解説しちゃうわ～。ホントにギリシャ神話って、女神の多い神話よね～。

データの読み方

女神、ニンフの名前

アシア

長音表記：アシアー　種族：ティタン神族

長音（ー）を表記する場合の名前　　　女神の神族名／ニンフの種族名

アシア

長音表記：アシアー　種族：ティタン神族

　ティタン神族の海神オケアノスとテテュス（→ p118）の娘。ギリシャの対岸にある、トルコ西部のリュディア地方の守護神である。一説では世界を支える巨人アトラスや、人間を手助けしたプロメテウス（→ p174）とエピメテウスの兄弟などを産んだとされる。

　彼女の名前が「アジア」という地名の語源になったともいわれている。かつてギリシャでアジアといえば、女神アシアが守護するトルコの呼び名だった。ヨーロッパの人々が、より東方の世界を認識するにつれてアジアの範囲は拡大し、ついに我々の住む日本までを含む広大な地域がアジアと呼ばれるようになったのだという。

　ただし、アジアの語源については、ほかにも複数の有力な説が存在する。

アステリア

長音表記：アステリアー　種族：ティタン神族

　その名前は「星座」を意味する。ポイベ（→ p114）の娘であり、月の女神ヘカテ（→ p142）の母とされる。好色な神ゼウスに狙われ、ウズラという鳥に変身して逃げたが、鷲に変身したゼウスに追いつかれ、今度は石に変身して海に身を投げた。

　やがてアステリアは島となり、海底から浮かび上がってくる。この島こそ、アステリアの姉妹であるレト（→ p134）が、アルテミスとアポロンを産んだ"デロス島"である。

　ちなみにこの島は、最初のころは、アステリアが変身したウズラのギリシャ名「オルテュクス」からとって"オルテュギア"（ウズラの島）と呼ばれたが、島が海中から浮かび上がってきた、つまり"見えてきた"ことから、デロス島（見えてきた島）とも呼ばれるようになった。

エウリュノメ

長音表記:エウリュノメー　種族:ティタン神族

　アシアと同じく、海神オケアノスとテテュスの娘。ギリシャ南部のアルカディア地方にあった神殿にエウリュノメが祀られていたと言われ、そこにある彫像は、上半身が人間で下半身は魚という人魚のような姿をしており、金の鎖でつながれていたという。

　ゼウスと結婚して美の女神カリス（➡ p58）を産み、鍛冶の神ヘパイストスがヘラによって海へ投げ捨てられたときニンフのテティス（➡ p156）とともに彼を育てた。

　ある物語によれば、幼いゼウスがクロノスの魔の手から逃れていたころ、エウリュノメは夫であるオピオンという蛇神と一緒に、まだゼウスのものでなかったオリュンポス山に鎮座し、最高神クロノスと世界の支配権を争った。しかし戦いに敗れた彼らは、世界の支配権をクロノスに渡して海底に姿を消している。

エイレイテュイア

長音表記:エイレイテュイア　種族:オリュンポス神族

　ゼウスとヘラの娘で、出産の女神。ヘラの補佐役として妊婦の安全と出産を保護する役目を担っている。

　ギリシャ神話の世界では、エイレイテュイアなどの出産の女神から許可をもらえなかった妊婦は子供を産むことができない。女神ヘラが自分の夫ゼウスの不倫によってできた子供の出産を察知した場合、彼女はエイレイテュイアに命じて、その子供を産ませないように画策することがあった。

エニュオ

長音表記:エニューオー　種族:オリュンポス神族?

　ゼウスとヘラの娘である戦いの女神。「都市の破壊者」という異名を持つ荒々しい女神で、返り血を浴びた姿で描かれることが多い。しばしば、兄である戦神アレスと一緒に描かれ、アレスの妻、あるいは母、娘など、家族だと考えられることもあった。オリュンポス十二神に数えられるアレスとは対照的に、彼女が活躍する神話は残されていない。

　ローマ神話では同じく戦いの女神である「ベロナ」（ベローナ）に対応するとされる。松明を持った姿で描かれるベロナも、エニュオと同じく固有の神話はなく、マルス（ローマ神話におけるアレス）との関係も娘であったり妻であったりと、さまざまな説がある。

　ちなみに、英雄ペルセウスのゴルゴン退治の神話に登場する、ひとつしかない歯と目を共用している3人組の老婆「グライアイ」のひとりも、エニュオという名前である。エニュオという名前には戦士という意味があることから、両者の関係性を指摘する意見もあるが、くわしいことはわかっていない。

カリロエ

長音表記:カリロエー　種族:ティタン神族

　海神オケアノスとテテュスの娘「オケアニス」の一員。多くの怪物の母として知られる。見た者を石化させることで有名な怪物「メドゥサ（➡ p158）」の子供クリュサオルと結婚してふたりの子供をもうけたが、生まれたのはどちらも怪物であった。片方は、下半身が蛇の姿をした女性で、のちにケルベロスやキマイラなど多数の怪物を産むことになる「エキドナ（➡ p158）」。もう片方は6つの腕と足を持ち翼を生やした「ゲリュオン」である。

　ギリシャ神話には、カリロエという名前の人物や女神がほかにも複数登場する。絶世の美少年、ガニュメデスを産んだカリロエや、トロイア戦争を引き起こした人物パリスの恋人だったニンフ、リビアの王リュコスの娘もカリロエという名前だが、女神カリロエとは別人なので混同しないよう注意が必要だ。

ケト

長音表記:ケートー　種族:原初の神

　海神ポントスと大地の女神ガイアの娘で、名前は「海の怪物」「クジラ」を意味する。カリロエと同じく、怪物を産んだ女神であり、3人組の老婆グライアイや、見た者を石化させる3人姉妹の怪物ゴルゴンを産んでいる。

　詩人ヘシオドスは、ケトをエキドナや100の首を持つとされる蛇の怪物ラドンの母親も、ケトだとしている。

ケル

長音表記:ケール　種族:原初の神

「切断」や「破壊」といった意味を持つ、死の女神たち。詩人ヘシオドスによれば、夜の女神ニュクス（➡ p88）の娘である。

赤いローブをまとい、出会った者を破壊したり、盲目にする、老化させるなどし、さらには死に追いやる。人間を殺しては不気味な叫び声を上げたり、鋭い爪を突き立てて血をすすることもあるという、ギリシャ神話の女神のなかでもかなり残虐な性格である。

一説では、死の運命にある人間の前にあらわれてその者を殺し、冥界に連れて行くのが役目とされる。特に、多くの人間が死ぬ戦場では、ケルたちは戦場の上空を飛び回っている。『イリアス』によると、ケルには人間の運命をあらわす機能もあるという。英雄アキレウスは、武勲に輝く「短いケル」を得るか、故国に帰って「長く幸せなケル」を得るかのふたつの選択肢が与えられ、短いケルを選んだことでアキレウスには栄光と死が約束された。

シノペ

長音表記:シノペー　種族:不明

最高神ゼウスは、たくさんの女神や女性とのあいだに子供を作った神であり、強制的に女性と関係を持つことも少なくなかった。しかし、なかにはゼウスに狙われながら巧みに彼を欺いて純潔を守った女神もいる。シノペはそのひとりである。

ゼウスはシノペを誘拐して愛をささやき、彼女のためならどんな願いも叶えると約束した。するとシノペは「永遠の純潔」を望んだため、ゼウスもシノペに手を出すことができなくなったのだといわれている。その後も複数の神や人間がシノペに迫ったが、結局誰も彼女と結ばれることはなかった。

別の物語では、太陽神アポロンとのあいだにシロスという息子を産んでいる。シロスはトルコのすぐ南に住む民族「シリア人」の祖先になったほか、世界ではじめて算術を身につけた人物だといわれている。

現在のトルコ北部にはシノペー（トルコ語ではスィノプ）という都市があるが、これは、ゼウスがこの地にシノペをさらい住まわせたから、またはこの地でアポロンと交わったからこの名前がついたといわれている。

タラフサ

長音表記:タラフサ　種族:原初の神

海の女神タラフサは、夜の女神ニュクスの系譜に連なる原初の神である。

ニュクスと闇の神エレボスの子、昼の女神ヘメラと光明神アイテルが交わって生まれたのがこのタラフサだ。彼女にまつわる神話は非常に少なく、同じ海の神ポントスとのあいだに魚の一族や複数の子供を産んだことなどが語られる程度である。

ただし別の神話では、タラフサは農耕神クロノスが父ウラノスに反乱を起こしたとき、切り取って海に捨てたウラノスの男性器が変化したものであるとしている。その出自ゆえか、タラフサは非常に多くの子供を産んでいる。詩人ヘシオドスの『神統記』ではウラノスの男性器が海に落ちたときの泡から生まれたとされているアプロディテ（➡ p44）も、このタラフサの子供なのだとする文献がある。

テイア

長音表記:テイアー　種族:ティタン神族

天空神ウラノスとガイアの娘のひとり。レア（➡ p104）やテミス（➡ p106）たちとは姉妹であり、セレネ（➡ p128）やエオス（➡ p130）の母。残念ながら彼女が活躍する物語は残っていない。

ドリス

長音表記:ドーリス　種族:ティタン神族

海の神オケアノスとテテュス（➡ p118）の娘で、自身も海の女神。ネレウスという海神とのあいだに、海のニンフ「ネレイデス」50人を産んだ。このネレイデスのなかには、のちに海神ポセイドンの妻となるアムピトリテ（➡ p132）や、英雄アキレウスの母となったテティス（➡ p156）などがいる。

一般的に、神話に登場するニンフたちのほとんどは、出自などが不明な者が多い。だが

ネレイデスたちは出自が明らかなのはもちろん、50人ほぼ全員の名前が判明している、珍しい種族である。

ビア

長音表記：ビアー　種族：ティタン神族

　暴力を神格化した女神。勝利の神ニケ（→p124）とは姉妹の関係にあたる。

　ニケと同様、ティタノマキア（→p170）のときにゼウスに味方したため高く評価され、ゼウスの特別な配下となった。彼女は権力を意味する名を持つ兄弟神クラトスと一緒にいることが多いとされる。

　詩人アイスキュロスは、人間に味方した神プロメテウス（→p174）がゼウスによって罰を受けることになったとき、彼を鎖で岩に縛り付けたのはビアとクラトスでだったとしている。

ピリュラ

長音表記：ピリュラー　種族：ティタン神族

　ギリシャ神話には、馬の首から人間の胴体が生えた外見の「ケンタウロス」という種族がいる。ピリュラはケンタウロスの賢者ケイロン（→p137）の母親である。ケイロンは医学の祖とされており、一説では世界で最初に生まれたケンタウロスともいわれている。その場合、ピリュラはケンタウロスという種族そのものの母ということにもなる。

　ピリュラは海神オケアノスとテテュスの娘であり、彼女自身がケンタウロスというわけではない。彼女が半人半馬のケイロンを産むことになった背景には、神話世界の支配権をめぐる壮大な戦いがあった。

　自分の息子に地位を奪われると予言を受けたクロノスが、逃げ出した息子ゼウスを探し回っていたころ、クロノスはある島でピリュラを見つけ、馬に変身して彼女に近づいて彼女と交わった。性交時にクロノスが馬になっていたため、生まれた子供の体にも馬の要素が混ざったのである。なぜクロノスが馬に化けたのかは諸説あり、妻であるレアに見つからないようにしたためとも、ピリュラが馬になって逃げたためだともいわれる。

　その後、ピリュラはケイロンを産むのだが、息子の体の半分が馬であることに衝撃を受けてしまい、神々に自分の姿を変えてくれるように祈った。この願いをゼウスが聞き入れて、彼女を菩提樹という木に変えたのだという。ちなみにピリュラとは、古代ギリシャ語で菩提樹という意味である。

　なお、異説ではピリュラは菩提樹にならず、山中の洞窟に住み、のちに英雄たちの手助けをしたとされる。

ブリトマルティス

長音表記：ブリトマルティス　種族：オリュンポス神族？

　ギリシャ南部に浮かぶ、クレタ島に伝わる女神。一説ではカルメというクレタ島の人間女性と、ゼウスとのあいだに生まれたとされる。その名前は「かわいい乙女」「優しい乙女」というような意味だが、弓矢を持って鹿などを狩る狩人でもあるという勇ましい女神である。また、野山だけでなく、航海や漁業などを守護する女神でもあった。

　彼女には「ディクテュンナ」（網の女）という別名がある。これはクレタ島の王であるミノスに執拗に迫られたとき、崖から海へ身を投げたが、漁師の網があったため助かった、という物語からついた異名だという。ただこれには異説もあり、「ディクテ山」という山に住んでいたことからついた、という説もある。

　狩人という特性からか、ブリトマルティスはのちに狩りの女神アルテミス（→p32）と結びつけられていく。彼女はアルテミスの従者と考えられたり、名前が違うだけでアルテミスと同じ神だと考えられるようになっていった。

ペルセイス

長音表記：ペルセーイス　種族：ティタン神族

　海神オケアノスとテテュスの娘であり太陽神ヘリオスの妻。ペルセ（ペルセー）と呼ばれることもある。

　残念ながら、彼女自身の物語はほとんどないが、子供たちは有名人ぞろいである。魔女として有名なキルケ（→p186）や、怪物ミノタウロスの母となったパシパエ（→p186）など、彼女の子供たちにはのちのギリシャ神話の物語を彩った人物が多い。

メムピス

長音表記:メムピス　種族:ティタン神族

　紀元前332年、征服王アレクサンドロスがエジプトを制圧、その後部下がエジプトのファラオになると、エジプトにもギリシャ風の神がいることになり、ナイル川の神ネイルスが生み出された。メムピスはこのネイルスの娘であり、ゼウスの息子であるエジプト王エパポスの夫だった。

　古代エジプトをはじめて統一した王朝の首都である都市メンフィスは、かつてエパポスが妻の名前であるメムピスにちなんでつけた名前だという。

ランペティエとパエトゥサ

長音表記:ランペティエー／パエトゥーサ　種族:原初の神

　太陽神ヘリオスの娘たち。ヘリオスは聖なる羊や牛を飼っていたが、その番人をしていたのがランペティエとパエトゥサだった。

　彼女たちはトリナキエ島（現在のイタリア半島沖に浮かぶシチリア島のこととされる）という島で動物たちの番をしていたが、あるとき、トロイア戦争が終わり国へ帰る途中だったオデュッセウスの船が島にやってきた。オデュッセウスは部下たちに、神聖な家畜に手を出さないよう忠告するが、餓死寸前の乗組員たちは家畜の牛を殺してしまう。

　そのことを知ったランペティエは、すぐさまヘリオスに報告。激怒したヘリオスをなだめるべく、ゼウスは船を雷で撃ち、結果オデュッセウス以外は死んでしまった。

レウコテア

長音表記:レウコテアー　種族:不明

　海の女神のひとり。航海の守護神であり、英雄物語『オデュッセイア』では、海神ポセイドンによって難破させられた主人公オデュッセウスを助けている。

　レウコテアはもともと人間だったのが神に変わったという珍しい存在だ。彼女は調和の女神ハルモニア（→p76）と英雄カドモスのあいだに産まれた女性で、人間だったころの名前は「イノ」といった。

　イノの姉妹であるセメレが、ゼウスとのあいだに酒の神ディオニュソスを妊娠したとき、セメレはゼウスの神の姿を見たため死んでしまったのだが、イノは夫アタマスとともに、ゼウスの妻ヘラに気づかれないよう、ディオニュソスを育てあげたのである。

　しかし、ディオニュソスの存在はヘラの気づくところとなり、ヘラは浮気によって生まれた子を育てた罰として、育ての親であるイノと夫を狂わせてしまった（狂わされたのは夫のみという説もある）。そして夫アタマスは、白い鹿を見つけてこれを弓で射止めるが、気がつくとそれは鹿ではなく、夫婦の実の息子レアルコスだった。イノも狂気にかられ、もうひとりの息子メリケルテスを沸騰したお湯に入れて煮殺してしまった。

　息子を失ったイノは崖から身を投げ、自殺をはかったが、ゼウスの息子ディオニュソスを育てた功績をふまえて、ゼウスは彼女を女神レウコテアに、夫アタマスは水夫の守護者である海神パライモンにしたのである。

レテ

長音表記:レーテー　種族:原初の神

　忘却を意味する名前の女神。争いの女神エリス（→p96）の娘とされる。

　ハデス（→p82）の治める冥界にはレテという河が流れているが、女神レテはこの河の神格化した存在だと考えられている。この河の水を飲むと「すべてを忘れる」ため、死者はこの水を飲んで地上でのことを一切忘れるのだという。また一部の説では、魂が新たな肉体で生まれ変わるときにこの水を飲み"冥界での記憶をすべて忘れ"て、転生の準備を整えるのだともいわれる。

　なお、冥界にはほかにも複数の川があり、女神ステュクス（→p120）が守護するステュクス川、死者の魂の渡し守カロンが活動するアケロン川、嘆きの川という意味のコキュトス川、炎が燃えさかるピュリプレゲトン川などの名前が神話に登場している。

　ちなみに、現在でもギリシャの古代都市テバイがあった地方には、レテ河の一部とされる河があるが、もちろんこの河の水を飲んでも記憶をなくす、というようなことはない。

ニンフってなんだ？

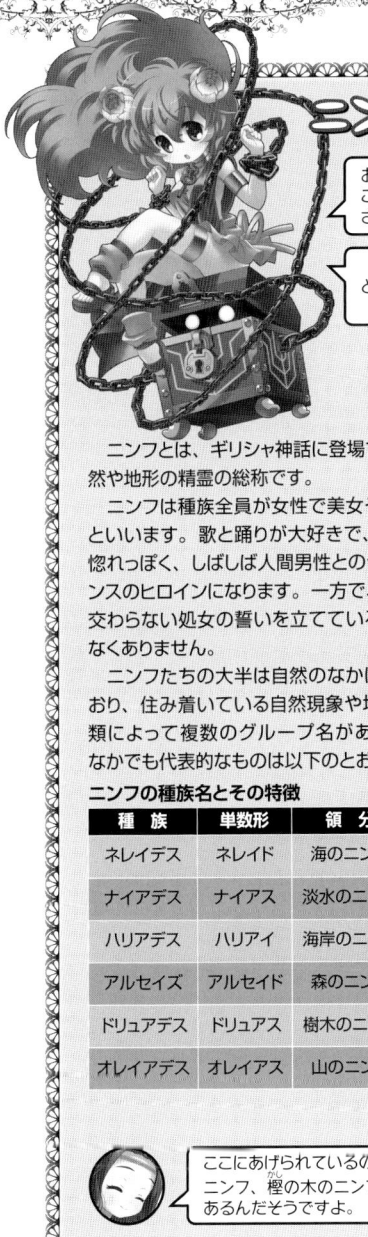

> おっしゃ、女神さんたちはぎょうさん紹介したから、このへんでええでしょ。次はギリシャ神話にたっくさんおる「ニンフ」の女の子たちを紹介するで。

> ところで箱さん、ニンフってどんな子たちなの？

　ニンフとは、ギリシャ神話に登場する、自然や地形の精霊の総称です。

　ニンフは種族全員が女性で美女ぞろいだといいます。歌と踊りが大好きで、性格は惚れっぽく、しばしば人間男性とのラブロマンスのヒロインになります。一方で、男性と交わらない処女の誓いを立てている者も少なくありません。

　ニンフたちの大半は自然のなかに住んでおり、住み着いている自然現象や地形の種類によって複数のグループ名があります。なかでも代表的なものは以下のとおりです。

神とニンフと人間の違い

神様とニンフと人間の境目って、実ははっきりしたものがないんです〜。不老不死なら神様で、老化したり死ぬなら神じゃないとも言えるかもですけど……なかには不老不死の人間さんや、死んでしまう神様もいますしねえ。

ニンフの種族名とその特徴

種族	単数形	領分	種族	単数形	領分
ネレイデス	ネレイド	海のニンフ	エピメリデス	エピメリス	高原のニンフ
ナイアデス	ナイアス	淡水のニンフ	ナパイアイ	ナパイア	谷のニンフ
ハリアデス	ハリアイ	海岸のニンフ	オーライ	オーラ	そよ風のニンフ
アルセイズ	アルセイド	森のニンフ	ネフェライ	ネフェレ	雲のニンフ
ドリュアデス	ドリュアス	樹木のニンフ	メリアデス	メリアイ	蜂蜜のニンフ
オレイアデス	オレイアス	山のニンフ	ランパデス	ランパス	地下のニンフ
			マイナデス（バッカンテス）	マイナス（バッカイ）	狂気のニンフ

> ここにあげられているのはニンフのグループのごく一部で、ほかにも湖のニンフ、樫の木のニンフのように、細かい種族分けが数え切れないほどあるんだそうですよ。

ギリシャの精霊 ニンフ小事典

そんなわけでお待たせや、ここではギリシャ神話に登場する自然の精霊、ニンフたちを紹介させてもらいますわ。みんなべっぴんさんばっかりで、男たちが夢中になるのもしゃあないって納得してまいます。

アイギナ

長音表記：アイギーナ　種族：ナイアデス

　川の神であるラドンの娘「メトペ」と、同じく川の神アソポスの娘。ゼウスが浮気をした数多いニンフのひとりである。アイギナはゼウスによって島にさらわれ、のちに冥界の審判官となるアイアコスを産んだ。だがこの後、アイギナはアイアコスを置き去りにして島を離れてしまっている。ちなみにアイギナがさらわれた島は、彼女の名前からアイギナ島と呼ばれるようになったという。

　アイギナ島はもともと無人の島だったが、置き去りにされたアイアコスのために、父親であるゼウスが島に住むアリを人間に変えたという。このアリから変わった人間は、アリのギリシャ語ミュルメクスから「ミュルミドン人」と呼ばれた。

アカントス

長音表記：アカントス　種族：不明

　太陽神アポロン（→ p35）に求愛を受けたニンフ。だが彼女は、しつこく言い寄るアポロンをひっかいて拒否したため、アポロンの怒りを買い、たくさんのトゲがついた植物に変えられてしまった。

　これが爪のようなトゲが多数あるアカンサス（ハアザス）だといわれる。

アドラステイアとイデ

長音表記：アドラステイア／イーデー　種族：不明

　のちにオリュンポスを支配するゼウスは、生まれてすぐにクロノスの魔の手を逃れると、ニンフたちによって育てられた。

　ゼウスの育ての親となったニンフは誰なのかには諸説あり、アドラステイアとイデもそのなかのひとりである。

　物語によると、アドラステイアは幼いゼウスを黄金のゆりかごにいれ、黄金のボールを与えたといわれている。こうして彼女とイデがゼウスの子守であり、乳母であった。

　彼女たちのほかに、下記で紹介するアマルテイアとメリッサも、ゼウスを育てた乳母のニンフだとされている。

アマルテイアとメリッサ

長音表記：アマルテイア／メリッサ　種族：不明

　幼いゼウスを育てたとされるニンフたち。特にアマルテイアはゼウスの乳母としてもっとも多く名前があげられるニンフである。

　アマルテイアは牛の角で作った器で乳をゼウスに飲ませ、メリッサは蜂蜜を飲ませてゼウスを育てたという。

　また、有名な別伝ではアマルテイアはニンフではなく、ゼウスを育てたニンフが所有する雌山羊であり、ゼウスはこの山羊の乳を飲ん

で育ったといわれる。

　ちなみに、アマルテイアの姿を山羊だとする神話によると、アマルテイアの角の内部には、神に不老不死を与える神酒ネクタルと神の食べ物アムブロシア（➡ p25）がいっぱいに満たされており、ゼウスはこれを飲み食いして育ったともいわれている。一説では、のちにゼウスはアマルテイアの角を1本折り、これに絶えず食物で一杯になる力を与え、自分を育ててくれたニンフたちに授けたといわれる。この角は「コルヌコピアイ」（豊穣の角）と呼ばれ、現在も豊穣のシンボルとして絵画や彫刻などに使われることがある。

アマルテイア

アレトゥサ

長音表記：アレトゥーサ　**種族**：ネレイデス

　海の神ネレイスと女神ドリス（➡ p148）の子であるニンフ「ネレイデス」のひとり。

　アレトゥサがアルペイオスという川で水浴びをしていたところ、この川の神アルペイオスが彼女に恋をした。アレトゥサはアルペイオスを拒否して逃げるが、アルペイオスは追いかける。そこで彼女はアルテミスに祈り、自分を泉に変えてもらった。アルペイオスはあきらめきれずに、自分の川の流れをアレトゥサの泉まで届かせようとしたが、結局交わることはできなかったという。

　このアレトゥサの泉とアルペイオスの川は、現在のイタリア南部シチリア島の東にあるオルテュギア島に実在する。一説ではアルペイオス川は一度地下を通り、また地上に流れ出て海へと続いているため、この変わった川の流れを説明するために生まれた神話ではないかといわれる。

エウリュディケ

長音表記：エウリュディケー　**種族**：アルセイズ or ナイアデス

　ある悲劇的な物語に登場するニンフ。彼女はギリシャ神話きっての音楽家であり詩人であるオルペウスと結婚するのだが、彼女は毒蛇にかまれて死んでしまう。

　嘆き悲しんだオルペウスは、冥界から彼女を連れ戻すことに決める。彼の歌は、冥界の川の渡し守カロンや地獄の番犬ケルベロスを惑わし、冥界の王ハデスやその妻ペルセポネの心までも動かした。彼は歌の魔力によってハデスから愛するエウリュディケを連れ戻すことを許されるが「オルペウスはエウリュディケの前を歩き、冥界を出るまで振り返ってはいけない」という条件がついていた。

　エウリュデュケを先導し、もう少しで地上へ戻れるというとき、オルペウスは我慢できずに振り返ってしまう。ハデスとの約束を破ったため、エウリュディケは冥界へ連れ戻され、二度と会えなくなってしまった。

　この悲劇にはさらに続きがある。エウリュディケを失ったオルペウスは絶望し、世捨て人のような生活を送りはじめる。このときの生活ぶりには諸説あるが、どの物語においても、オルペウスがすべての女性を遠ざけたため、彼を恨んだ、または彼を奪いあった女性たちによって、体を八つ裂きにされてしまう凄惨な最後はほぼ同じである。

　バラバラになった彼の体は川に流されたが、その首は常にエウリュディケの名前を呼んでいたという。そして彼の竪琴は天に上げられ、たてごと座になっている。

エコ

長音表記：エコー、エーコー　**種族**：アルセイズ

　ギリシャ語で「木霊」（いわゆる「やまびこ」）を意味するニンフ。日本では長音表記をつけた「エコー」の呼び名で有名。

　エコはおしゃべりなため、ゼウスは彼女に、ゼウスが浮気をしているあいだ、無駄話でヘラの気をそらす役目を与えていた。しかし、その役目がヘラにばれてしまい、エコは「他人の発言の最後のほうを繰り返すこと」しかできないようにされてしまった。

153

この後、エコは美少年ナルキッソスに恋をするが、ヘラから受けた罰のため意思の疎通ができず相手にされなかった。悲しんだ彼女は声だけを残して消えてしまったという。

別の物語では、ゼウスに負けず劣らずの好色で知られる牧羊神パン（→ p137）がエコに言い寄ったが、彼女が拒否したため、怒ったパンにヘラのときと同じような呪いをかけられたのだという。エコと会った羊飼いたちは、自分たちの言葉を繰り返すエコに怒り、彼女を八つ裂きにしてしまった。エコの遺体は大地の神ガイア（→ p84）が隠したが、相手の言葉を繰り返す力、つまり木霊だけは残った。

エコの名前は、"残響"や"木霊"などを意味する英語、エコーの語源になっている。

オイノネ

長音表記：オイノーネー　種族：オレイアデス

イデ山という山に住み、癒しと予言の力を持つニンフ。のちにトロイア戦争の引き金を引くことになるパリスの最初の妻。

生まれたばかりのパリスは、災いを起こすという予言からイデ山に捨てられたが、そこで育ってオイノネと結婚した。

のちに、パリスが美女ヘレネ（→ p191）を誘拐することを予言の力で知ったオイノネは、パリスを止めようとするが、彼は聞き入れず山を降りた。このときオイノネは「自分にはどんな傷も治せるから、怪我をしたら戻ってくるように」と言っている。

そしてトロイア戦争の末期、パリスは毒矢を受けて瀕死の重傷を負ったため、配下に自分をイデ山に運ぶようにいう。しかし、パリスがオイノネのもとを離れて19年もの時間がたっており、心変わりをしていたオイノネはパリスの治療を拒否した。すぐに彼女は後悔し、トロイアへ戻ったパリスを追いかけるが、時すでに遅くパリスは死んでいた。オイノネは悲しんで首を吊り、死んだという。

カスタリア

長音表記：カスタリア　種族：オレイアデス？

神に言い寄られたがそれを拒否して命を絶ったり、別の姿に変わってしまったニンフは数多い。カスタリアもそのひとりで、太陽神アポロンに求愛を受けたが、それを拒んで泉に身を投げてしまったのである。

この泉は彼女の名前から「カスタリアの泉」と呼ばれる。この泉の水は神聖なものとされ、飲めば詩や歌の才能を得ることができると考えられており、ムサ（→ p62）たちとも密接な関わりがあるとされる。また、この水がデルポイの神託所（→ p114）での儀式で使われたともいわれた。

ガラテイア

長音表記：ガラテイア　種族：ネレイデス

海のニンフ「ネレイデス」のひとりで、名前は"乳白の女"という意味。

彼女はイタリア半島の先端にあるシチリア島の近くの海に住んでいた。シチリア島には単眼巨人キュクロプス族のひとりポリュペモスが住んでおり、彼はガラテイアを追い回したり歌を歌うなどして熱烈な求愛をするが、ガラテイアはポリュペモスの外見を嫌っていたことと、アキスという青年を愛していたことから拒否し続けていた。

嫉妬にかられたポリュペモスは、あるとき恋敵であるアキスに大岩を投げつけ、下敷きにして殺してしまった。悲しんだガラテイアは岩の下から水の流れを起こして川にし、アキスをその川の神にしたという。

別の物語では、アキスは登場せず、ポリュペモスは歌や笛の音色によってガラテイアの心を掴んでいる。

カリクロ

長音表記：カリクロー　種族：不明

ギリシャ神話には、カリクロという同名のニンフがふたり登場する。

ひとりめは、半人半馬の種族ケンタウロスの賢者「ケイロン」の妻のカリクロだ。

もうひとりは予言者テイレシアスの母であるカリクロである。神話によると、彼女はアテナのお気に入りで、ふたりで水浴びをしていた。そこに狩りをしていたテイレシアスがたまたま通りがかり全裸のアテナを目撃してしまったため、アテナによって盲目にされてしまった。息

子の災難に悲しむカリクロを慰めるため、アテナはテイレシアスに、鳥の話し声が聞こえるように耳を清め、目が見えているのと同じように歩ける杖と予言の力を与えたのだという。

カリュプソ

長音表記：カリュプソー　種族：ネレイデス

　海のニンフ、ネレイデスのひとり。また一説にはオケアニデスのひとりとも、その怪力で地球を支えているティタン「アトラス」（→p136）の娘だともされる。

　あるとき、ゼウスの雷で船を破壊された（→p150）オデュッセウスが、カリュプソの住む島に漂着する。カリュプソは彼に恋をし、７年ものあいだ、国へ帰ろうとする彼を引き留めた。しかし最後は神々が彼女を説得し、カリュプソは大工道具や材木をオデュッセウスに与え、島を出る手伝いをしたという。

キュレネ

長音表記：キューレーネー　種族：ナイアデス？

　処女神にして狩りの女神アルテミス（→p32）と関係の深いニンフ。ギリシャ神話には、ゼウスの娘で、キュレネ山と関連づけられるキュレネもいるが、別のニンフである。

　水のニンフ「クレウサ」の娘とされるが、彼女は山に住み、槍や弓矢で狩りをしたり、家畜を野獣から守って生活した。また、アルテミスから２頭の猟犬を送られたともされる。

　あるとき、彼女は武器を持たずライオンと格闘をしていた。その姿を太陽神アポロンが目撃し、彼はキュレネの勇敢さと美しさに惚れ込み求愛する。これをキュレネは受け入れ、彼女はアポロンの子供を産んだという。

　別の物語では、キュレネは戦神アレスとのあいだに、のちに人食い馬を飼い、英雄ヘラクレスに殺されることになるトラキアの王ディオメデスをもうけている。

クリュティエ

長音表記：クリュティーエー　種族：不明

　太陽神ヘリオス（→p137）の寵愛を受けたニンフ。しかし彼が女神アプロディテ（→p44）の謀略によって、レウコテアという女性（水の女神レウコテアとは別人。またニンフのクリュティエはレウコテアと姉妹だとする説もある）に熱烈な情愛を抱くようになると、彼女はレウテコアに嫉妬する。

　クリュティエはレウコテアの父に、娘とヘリオスの関係を密告。激怒した父はレウコテアを生き埋めにしてしまった。悲しんだヘリオスはレウコテアを香木に変えたという。一方でクリュティエは、もうヘリオスには自分への愛情がないことを悟り、そのまま衰弱死して、ヘリオトロープという花に変わった。

　このヘリオトロープはひまわりと同じように、太陽のある方角へ葉や茎などが向いたりその方向へ茎を伸ばす「向日性」の植物である。神話によれば、ヘリオトロープが向日性なのは、植物になったあともクリュティエがヘリオスを敬愛していたからなのだと説明している。

シュリンクス

長音表記：シューリンクス　種族：オレイアデス

　女神アルテミスに仕えるニンフのひとりで、彼女とともに狩りをして生活していた。

　あるとき、シュリンクスに欲情した好色な神パンが、彼女を襲おうとした。シュリンクスはラドン河という河まで逃げ、そこで仲間のニンフたちに助けを求め、自分を植物の葦に変えてもらい、パンから逃れた。やむなくパンはその葦から笛を作り、彼女の名前からとってシュリンクスと名づけたという。

　このシュリンクスという楽器は実在する。パイプオルガンのように長さの違う葦の茎を並べたハーモニカの一種で、このギリシャ神話

キュレネ

155

の物語から、「パンパイプ」「パンの笛」とも呼ばれる。

スキュラ

長音表記：スキュラ　種族：不明

もともとは数多くの男性が求婚するほど美しかったが、恋愛事情のもつれから醜い怪物になってしまった悲劇のニンフ。

スキュラは普段、海などで仲間のニンフとともに過ごしていたが、色恋沙汰には興味がなく求婚はすべて拒否していた。

海の神グラウコスも求婚者のひとりであった。彼は自分を拒否し続けるスキュラを振り向かせるべく、魔女キルケ（→p186）から惚れ薬をもらおうとする。だがこれが悲劇の始まりだった。実はキルケはグラウコスを愛していたので、キルケの視点だと「愛する男が、ほかの女を口説く相談をしにきた」ことになる。グラウコスは、スキュラをあきらめるように説得するキルケを拒絶したため、嫉妬に狂ったキルケはスキュラに魔法をかけ、上半身こそ美しい女性だが、下半身は魚、そして腹の部分から6匹の犬の頭が生えた異形の怪物に変えてしまったのだ。

怪物となってしまったスキュラは、イタリア半島とその南にあるシチリア島のあいだにある「メッシナ海峡」で、近くを通りかかる船を襲い、船員を喰らうようになった。

ダプネ

長音表記：ダプネー　種族：ナイアデス？

アポロンの愛を拒絶したために植物に変わったニンフ。彼女の物語は、中世以降の絵画の題材として特に人気がある。

ダプネは、河の神の娘であったが普段は森で狩りをして生活していたという。あるときダプネは太陽神アポロンに熱烈な求愛を受けるがそれを拒否し、彼から逃れるためゼウスに頼んで自分をクスノキの仲間である月桂樹に変えてもらったという。

実は、アポロンがダプネに強烈な愛情を抱いたのには理由がある。アポロンは、愛の神エロス（→p136）に自分の持つ弓矢を自慢し、エロスの弓矢などを罵倒したことがあった。これにエロスは怒り、アポロンに矢を撃ちこんでダプネに愛情を抱かせ、ダプネには逆にどんな男性にも無関心になる矢を撃ち込み、ダプネがアポロンの求婚を受け入れないようにしてしまったのだ。

月桂樹に変わったダプネを見て悲しんだアポロンは、月桂樹を自分の信仰のシンボルとしたほか、月桂樹で竪琴や矢筒を作った。また月桂樹で作られた輪（月桂冠）は、詩人が頭にかぶるようになった。この月桂冠は、古代ギリシャで競技の優勝者に贈られたが、現在のオリンピックでも再現されている。

ギリシャ最南端、ラコニア地方の伝承では、物語の細部が異なる。ダプネに惚れたのはアポロンだけでなく、レウキッポスという男もいた。彼は女装してニンフたち交流し、ダプネを口説く糸口にしようとしたが、アポロンに正体をばらされて逃げ出したという。

テティス

長音表記：テティス　種族：ネレイデス

海のニンフ「ネレイデス」のなかでも、もっとも有名なひとり。トロイア戦争で活躍する英雄アキレウスの母として知られるほか、ニンフでありながら古代ギリシャの各地で神のように信仰された。

ニンフのなかでもとりわけ美しいとされ、ゼウスやポセイドンが彼女と結婚したがった。しかし「テティスの子供は父よりも偉大になる」という予言があったため、ゼウスたちは結婚を断念。しかもゼウスは、子供が偉大になりすぎないよう、嫌がるテティスを無理やりペレウスという人間と結婚させた。ペレウスは国王ではあったがそこまで偉大ではなく、神々の信頼も厚かったため、うってつけの人間と考えられたのである。

こうしてペレウスと結婚したテティスはアキレウスを産む。テティスは愛する息子が死なずに済むよう、ステュクス河（→p120）にアキレウスをひたして不死身にしたが、テティスがつかんでいた足首だけが川の水に触れず、弱点として残った。別説によれば、アキレウスの体に聖なる食物アムブロシアを塗り、炎で死の運命を焼き切ろうとしたが、何も知らない夫ペレウスが炎の中のアキレウスを助け

てしまった。これにより彼は不完全な不死者となり、トロイア戦争の終盤で、弱点として残ったかかとを矢で撃たれて死亡している。

ヒュアス

長音表記：ヒュアス　**種族**：不明

　海神オケアノスとテテュス（➡p118）の娘、またはティタン神族のアトラスの娘。

　ヒュアスという名前は、彼女たちの共通の称号のようなもので、5人とも7人とも言われる娘たちは各個に個人名を持っている。なお、全員をまとめて呼ぶときは、複数形の「ヒュアデス」が使われる。

　彼女たちは、牡牛座の頭部の近くにある、ヒアデス星団という星々に変わったと伝えられる。星になった経緯については諸説あり、幼き酒の神ディオニュソス（➡p99）を彼女たちが養育したためその褒美だとも、狩りの最中に猛獣に殺されてしまった兄弟を悲しんでいるうちに星になったともいわれる。

プサマテ

長音表記：プサマテー　**種族**：ネレイデス

　キュレネ（➡p155）の息子、アイアコスと結婚したネレイデスのひとり。はじめ彼女はアイアコスを拒みアザラシになって逃げ出したが、結局逃げ切れずに、あるいはアイアコスの説得によって結婚したという。ふたりのあいだにはポコスという子供が生まれたが、アイアコスと別の女性のあいだに生まれたペレウス（のちのテティス（➡p156）の夫）とテラモンの謀略によって殺されてしまった。

　これを恨んだプサマテは、謀略が発覚して国を追われたペレウスのもとに巨大な狼を送って、彼の家畜を全滅させている。

ヘスペリス

長音表記：ヘスペリス　**種族**：不明

　ギリシャ神話では、遠く西の果てに「神々の庭園」（ヘスペリデスの園）があるといわれる。ここには、ガイア（➡p84）がゼウスとの結婚祝いにとヘラ（➡p22）に贈った黄金のリンゴの木がある。ヘスペリスはこのリンゴの木の番人である。彼女たちは100の頭を持つという蛇ラドンと一緒にリンゴを守り、歌を歌って暮らしていた。

　ヘスペリスとは、このリンゴの木の番人をしているニンフの称号のようなもので、彼女たちにはこれとは別に個人名もある。また、彼女たち全員を呼ぶ場合は、複数形の「ヘスペリデス」という名前を使う。通常は、「アイグレ」（輝き）、「エリュテイア」（赤）、「ヘスペレトゥサ」（日没のアレトゥサ）の3人組だが、4人や7人だとする説もある。彼女たちの生まれについても複数の説があり、巨人アトラスの娘だとするものや、冥府の神エレボス（➡p136）と夜の神ニュクス（➡p88）との娘だともいわれる。

　彼女たちの守る黄金のリンゴは、英雄ヘラクレスによって盗まれたことがあった。しかし、女神アテナ（➡p28）によって盗まれたリンゴは神々の庭園に戻されたという。

　ちなみに、トロイア戦争の発端となったパリスの審判のときに女神エリス（➡p96）が結婚式場に投げ込んだのも黄金のリンゴだが、これが神々の庭園にある黄金のリンゴと同じものなのかは不明だ。

ヘスペリス

メンテ（ミンタ）

長音表記：メンテー　**種族**：ナイアデス

　メンテは冥界を流れる「コキュートス川」に住むニンフだ。彼女は冥界の神ハデスの愛人だったが、ハデスの妻ペルセポネ（➡p36）がふたりの関係に気づき、メンテを踏みつぶしてしまった。すると、メンテは香り高い植物「ミント」に変わってしまった（別説ではハデスがメンテを植物に変えている）。

モンスターな女たち

女神様、ニンフさんとギリシャ神話の女の子たちをたくさん紹介していただきましたけど、ギリシャ神話にはほかにも女の子がいますよね。ええ、鳥女のハルピュイアとか、見る人を石にするメドゥサとか……。
メティス先生、女の子のモンスターについても教えてください〜！

◆ エキドナ ◆

「蛇」を意味する名前持つ怪物で、上半身は美しい女性だが下半身は蛇である。洞窟に住み、美しい女性の上半身で男を誘惑して洞窟に引きずり込み殺してしまう。

地獄の番犬ケルベロスやオルトロス、多数の蛇を持つヒュドラ、合成獣キマイラなど数々の怪物を産んだ、怪物たちの母ともいえる存在である。

◆ ゴルゴン３姉妹 ◆

長女ステンノ、次女エウリュアレ、末女メドゥサの３姉妹の怪物。長女と次女は不死身で、三女のメドゥサのみ不死ではなかったが、かわりにその視線で見た者を石化させる能力があった（一説では石化の能力は姉妹すべてにあったともいう）。ゴルゴンたちは髪の毛が蛇の醜い外見だが、反対に非常に美しかったという説もある。

◆ ラミア ◆

人間の子供を食い殺す怪物。上半身は女性、下半身は蛇という姿だが「蛇と山羊と人間の混合体」とする伝承もある。もともとは美しい女性だったが、ゼウスの浮気相手だったため正妻ヘラの怒りを買い、子供を殺されたうえに怪物に変えられてしまった。彼女は子供を失った悲しみで発狂し、子供を襲うようになったのだという。

◆ スピンクス（スフィンクス） ◆

スフィンクスといえばエジプトの巨大な彫刻が有名だが、同名の怪物がギリシャにもいる。ギリシャのスピンクスは頭部が人間女性で、体の正面に人間の乳房があり、ライオンの体から鷲の翼が生えている。スピンクスは山に住み、旅人に謎かけをして解けない者を食べていた。だがオイディプスという詩人が謎かけの正解を答えため、海に身を投げて死んだという。

◆ ハルピュイア ◆

女性の顔と胸、鷲の翼と下半身を持った怪物。日本では英語名の「ハーピー」のほうが有名だろう。アエロ、オキュペテ、ケライノ、ポタルゲの４姉妹とされることが多い。あらゆるものを貪り、耳障りな声を上げ、糞で周囲を汚し回るという。

◆ デルピュネ ◆

上半身が人間女性、下半身が蛇の姿のモンスター。古い神話では、デルポイの神託所（➡p114）の守護者はピュトンではなくデルピュネだという。

「ギガントマキア（➡p171）」の終盤において、負けたゼウスの手足の腱が切り取られ、デルピュネが腱を守る番人をつとめた。だがこの腱はヘルメスに盗み出され、万全になったゼウスは大暴れで敵を倒してしまった。

メティス先生の！ギリシャ神話講座 初級編

Seminar of Greek Mythology

- メティス先生の！ギリシャ神話ってなんだ？〜初級編〜……160
- ギリシャ神話の特徴……162
- ギリシャ神話ダイジェスト……164
- 神と人間のギリシャ神話……172
- 誰が書いたの？ ギリシャ神話……178

ギリシャ神話の女神様を
たっぷり知ったら、
次はこの神様が
どんな世界で活躍したのか
知りたくなりませんか〜？
11ページから説明した
「ギリシャ神話って何？」を
もうすこし拡大して、
神話を楽しむために
絶対知っておきたい知識を
紹介しますね〜♪

> メティス先生の！

ギリシャ神話ってなんだ？
～初級編～

ギリシャ神話は、とにかくお話の種類がたくさんありますから～、全部紹介するのはちょっと大変です～。なので、これからギリシャ神話を読むために必要な知識や、大事な神話だけにしぼってみなさんに教えますね～♪

大事な神話ですか、そんなものがあるんですか？
神話はどれも大事なお話だと思っていたんだけど……。

ギリシャ神話の種類

それが、あるんですわ、大事な神話。
ギリシャの神話ちゅうのは、だいたいこの3種類に分けられるんや。②と③の神話は山ほど種類があるんやけど、今回重要なのはむしろ①やね。

❶神話世界の成り立ち

❷それぞれの神の神話

❸英雄と神の神話

「神話世界の成り立ち」は、164ページでチェック！

「神話世界の成り立ち」？
つまり、お空と地面がどんなふうにできたかとか、神様がどう生まれたかとか、そういうのですか？

パンドラちゃん、正解です～。
なぜゼウス様が最高神なのか……つまり「神話世界がどのようにできて、どんな歴史をたどったか」が重要なんです。

> ギリシャ神話の「神話世界の成り立ち」を知るためには、何について勉強すればいいと思いますか～？
> ここにあげた4つを知れば○Kですよ～。

- **ギリシャ神話とは何か？**
- **どんな世界なのか？**
- **どんな神がいるのか？**
- **どんな歴史をたどったのか？**

> 「どんな神がいるか」は、これまで散々やってきたから、あとの3つを知れば準備はバッチリですわ！

　ギリシャ神話の大半は、神話に登場する神々ひとりひとりや、特別な能力、美貌を持つ人間を主人公にした物語です。これらの物語の多くは、ギリシャ神話の全体像を知っている人向けに書かれているので、神話の内容を楽しむには、上のような前提を身につけておく必要があります。

ギリシャ神話とは何か？　どんな世界なのか？

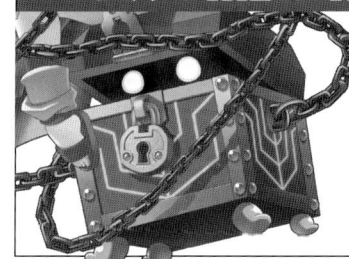

ギリシャ神話っちゅうのがどんな神話なのか、16ページで簡単に説明したけども、162ページの「ギリシャ神話の特徴」でもうちょいくわしい話をしときます。それから176ページの「神様相関図」で、神様の人間関係も把握してくださいな。

162ページへ！

どんな歴史をたどったのか？

ギリシャ神話の最高神はゼウス様ですけど、実はゼウス様が最高神になったのって結構最近のことなんですよ～。ゼウス様が最高神になるまでにどんな歴史があったのかを「ギリシャ神話ダイジェスト」で説明しますわ～？

164ページへ！

ギリシャ神話の特徴

神話のくわしい内容を話す前にですね〜、まずはギリシャ神話がほかの神話とどう違うのかを知っておいたほうがいいと思うんです〜。ギリシャ神話って、けっこうめずらしいタイプの神話なんですよ〜。

ギリシャ神話は"小話の集合体"

ギリシャ神話の特徴は「小さなお話の集合体」だっちゅうことですわ。ギリシャの各地で好き勝手に作られた、数え切れんくらいたくさんある神様関連のお話を、ぜんぶひっくるめて「ギリシャ神話」て呼んでます。

それって、ほかの神話とどう違うんですの？

実はですね〜、ギリシャ神話の世界の歴史には、お話ごとに矛盾が山盛りなうえに、「これが正解だ！」と決まった設定がないんです〜。
例えば他国の神話ですと、こんな感じで「正解」があるんですけど……。

イエス・キリスト

キリスト教の場合！
私が伝えたキリスト教では、『旧約聖書』という教典の一部である『創世記』に書かれた物語が、世界の成り立ちについて説明する唯一の真実です。これ以外の神話は、事実をゆがめた「異端」の教えですよ。

日本神話の場合！
我が国日本の神話では、『古事記』と『日本書紀』というふたつの文献で、世界の成り立ちを説明しておる。成り立ちには複数の説があるが、国としての公式な「正しい歴史」がどれかははっきり決まっておるぞ。

神武天皇

と、キリスト教や日本神話ではこのように「正式な神話」があるのですね〜。
ギリシャ神話の場合はどうなのかというと……ここはゼウス様に直接お話しいただきましょうか〜。ゼウス様〜？

うむ。ギリシャ神話の場合じゃとな……。

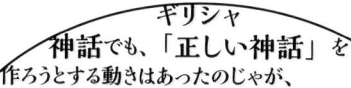

ギリシャ神話でも、「正しい神話」を作ろうとする動きはあったのじゃが、誰かに公認されたわけでないので「個人的なまとめ」の域を出ておらん。具体的には

神統記（ヘシオドス）：紀元前8世紀に書かれた最初の「系統だった神話」

歴史（ヘロドトス）：ギリシャ神話が歴史的事実として紹介されている

ギリシア神話（アポロドロス）：古いギリシャ神話文献をもとに代表的物語をまとめたもの

この3冊が知られておるが、どれも正式な「正解」ではない

あわわわ、ゼウス様、お話が難しすぎてよくわかりませんわ！
もうすこしやさしく教えてくださいー！

ふむ、つまりだな、ギリシャ神話は皆が好き勝手に話を作っておるから、**「正しい設定」**というものがないのじゃ。
誰が誰の親なのか、妻なのか、神話ごとにまるで違うから気をつけなさい。

親子関係までお話ごとに違うんですの!?
それは……たしかにそれだと、こまごまとした設定を覚えるより、神話の大筋の部分だけ教えてもらって、あとは臨機応変に考えたほうがよさそう……。

ギリシャ神話が小話だらけな理由

　ギリシャ神話って、なんでこないにバラバラな話がたくさんあると思います？　正解は、作った人間が山ほどいて、神話を作った理由もバラバラだったからや。

　昔のギリシャは都市ごとに別の国ってくらい文化が違ってて、人気のある神様もちゃうから、自分の都市の神様が活躍する神話を作っとったんです。つまり地域性ですわ。

　地域の違いだけならまだ簡単なんやけど、その後も「娯楽として楽しむ神話」が作られたり、「自分の先祖を神話にして立派に見せる」なんて需要も増えて、そのたびに新しい神話ができるから、数えきれんほどの数になったんや。

ギリシャ神話ダイジェスト

はーい、おまたせしました〜。
たくさんあるギリシャ神話のなかで、世界の成り立ちだけを大事に扱うワケ、わかってもらえましたね〜？
それではいよいよ、本題に入っていきますよ〜。

ギリシャ神話の「世界の成り立ち」とは?

- メティス先生は「ギリシャ神話の世界の成り立ち」とおっしゃいましたけど、具体的にはどのようなことを話すんですか？

- そうですね〜、それでは逆に先生から質問しますよ〜。
ギリシャ神話の最高神はどなたでしょう〜？

- あら、メティス先生、その問題は幼い子供でもわかりますわ。
私たちの最高神は、天空をつかさどる雷神、ゼウス様です。

- はい〜、パンドラちゃん正解です〜。
それでは第２問です。ギリシャ神話でゼウス様が最高神になる「前」、誰が最高神だったでしょうか〜？

- ええっ!? ゼウス様って最初から最高神だったんじゃないんですか!?
じゃあ、ゼウス様はどうやって最高神になったんですか？

- はい、パンドラちゃん、そこですよ〜。
ギリシャ神話の「世界の成り立ち」とは、この世に神様が生まれてから、ゼウス様がギリシャ神話の最高神になるまでに、どんなことがあったかを説明する神話なんです〜。

- なるほどー！

ギリシャ神話には3つの種類がある

はーい、またまたクイズですよ〜。
ギリシャ神話の主人公って、誰だと思いますか〜？
今回はちょっと引っかけ問題なんです〜。

それはもちろん、主人公をひとり選ぶならゼウス様……。
ですけど、「引っかけ問題」ということは、間違いなんですよね？

はい〜、見破られてしまいました〜。そうです、ギリシャ神話はお話がたくさんありますから、お話ごとに主人公が違うんですよ〜。
ギリシャ神話のお話を主人公別に分けると、この3つに分かれます〜。

①世界の成り立ちの神話

左のページでも説明した、ギリシャ神話の世界が生まれてから、雷神ゼウスが最高神の地位を確立するまでのあいだの歴史を語る神話です。この神話ではゼウスが生まれて以降、一貫して**ゼウス**を主人公として物語を描いています。

②それぞれの神々の神話

ゼウス本人よりも、ゼウスの部下として付き従う**神々**を主役とした神話です。ギリシャ神話ではこれらの物語を通じて、神々の婚姻関係を説明したり、四季や生死といった世界の仕組みを説明しています。

③英雄と神の神話

神と人間の血を引く「**英雄**」や、神に注目されるほどの「**美姫**」を主人公にした神話です。内容は冒険譚、武勇伝、恋物語など多岐にわたります。
神々はこれらの神話で、英雄の障害になったり、支援者になったりして彼らの活躍に影響を与えます。

この3種類の神話のなかで、いちばん数が多いのは、実は3番目、英雄を主人公にした神話なんや。

ええっ、神話なのに、神様主役よりも人間主役のほうが多いの？
それってなんかおかしいような……。

人間が主役の神話が多いのは、後世になって「作られた」神話が多いからです〜。特に、自分の家系は神様の子孫だって言うための神話を、ギリシャの有力貴族たちが盛んに作らせたらしいですよ〜。

165

遊んで学ぼう！神話の世界ができるまで

それじゃあ、まずはギリシャ神話の世界の成り立ちのあいだに、どんなことがあったのかを知っておきましょうね〜。世界ができあがってからゼウス様が最高神になるまでのできごとを、スゴロクにしてみたから、みんなで遊びましょう〜♪

START!

サイコロを振って進もう！マス目に止まったら、そのマスの説明を読んで、最後に書いてある指示に従おう！

2 世界の誕生

はじめ、世界には「カオス」という虚無のみが存在していました。このカオスから、原初の神々が次々と誕生します。

p168へ！

5 ウラノスの暴虐

ウラノスはガイアと結婚して多くの子供を産ませましたが、外見が醜い子を嫌い、彼らを冥界タルタロスに幽閉します。

1回休み！

3 天空神ウラノスが最高神に

原初の神のひとり、大地母神ガイアの息子である天空神ウラノスは、ガイアを妻として神々の頂点に立ちます。

1マス進む！

6 クロノスの反乱

ウラノスとガイアの末の息子である農耕神クロノスは、ウラノスの男性器を鎌で切り落として追放し、自分が最高神となります。

p169へ！

8 呪いの予言

クロノスは追放したウラノスから「自分の息子に地位を奪われる」という予言を受け、予言を恐れるようになります。

他のコマ1つを2マス戻す

ギリシャ神話すごろくの遊び方

- 右のコマを切り取り、組み立ててスタートに置こう！
- サイコロを1個振って、出た目と同じだけ進もう！
- いちばん最初にゴールしたひとの勝ち！

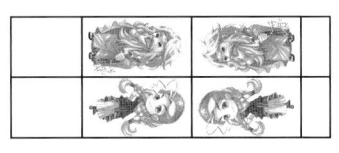

---

9 子供たちを丸呑みに

クロノスは妻レアが産んだ子供を丸呑みにし、腹の中で仮死状態にすることで予言の成立を防ごうとします。
目の前の飲物を一気飲みしろ！

10 ゼウスの反乱

クロノスとレアの6人目の子ゼウスは、母の巧妙な策で丸呑みを回避します。ゼウスは神々の力を借りて兄弟を救出します。
1マス進む！
p169へ！

13 ティタノマキア

ゼウスを中心とするオリュンポス神族と、クロノスを中心とするティタン神族が大激突！戦いは互角で決着がつきません。
p170へ！

12 オリュンポス山

ゼウスは、救い出した兄弟たちとともにオリュンポス山を占拠して本拠地とします。
他のコマ1個をこのコマに移動させてもいいし、しなくてもいい

15 味方を増やすゼウス

ゼウスは、ウラノスに迫害されていた単眼巨人キュクロプスと百腕巨人ヘカトンケイルを味方につけ、戦争に勝利します。
16に進む！

16 ギガントマキア

勝ったゼウスが敗れたクロノスたちを地下に幽閉したため、怒ったガイアが、巨人族ギガスをゼウスたちにけしかけ、新たな戦争がはじまります。
p171へ！

17 テュポンとの最終決戦

ガイアは最終兵器テュポンをゼウスに挑ませますが、ゼウスが大逆転勝利をおさめます。
STOP！次から毎回サイコロを振り、4～6が出たらゴール！

GOAL！ ゼウスの地位確立！

世界のはじまり！
ギリシャ神話世界の誕生

　ギリシャ神話の世界は、果てしない暗黒の虚空に、カオス（混沌）という物質が充満している状態から始まります。

　カオスはしだいに変質し、次々と神を産み出していきます。このとき最初に生まれたのが、大地そのものを神格化した大地母神ガイアでした。ギリシャ神話の初期の物語は、このガイアを中心に展開していきます。

> まず「**カオス**」から5柱の神様が生まれてきますよ〜。
> この5柱は、神様なんですけど、世界そのものでもあります。ギリシャ神話世界の土台になった神様ですね〜♪

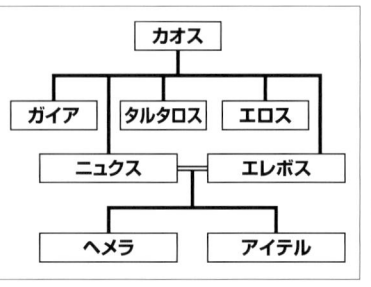

```
         カオス
   ┌──────┼──────┐
 ガイア  タルタロス  エロス
   ┌──────┐
 ニュクス＝エレボス
   ┌──────┐
 ヘメラ   アイテル
```

　カオスから最初に生まれたのは、大地、すなわち大地母神ガイアでした。その後、地下にある冥界タルタロスと、愛の神エロスが生まれます。

　その次にカオスから生まれたのは、夜の女神ニュクスと闇の神エレボスです。2柱の神は結婚して、昼の女神ヘメラと光の神アイテルを産み、こうして世界には光と闇、昼と夜がそろいました。

> 次は「**ガイア**」様のほうに目を向けてくださいな。ガイア様は万物の母と呼ぶべきお方や。この世界のほとんどの要素は、ガイア様から生まれてるんやで。

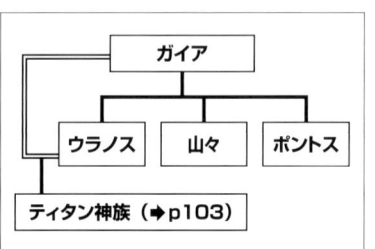

```
         ガイア
   ┌──────┼──────┐
 ウラノス   山々    ポントス
   │
 ティタン神族（→p103）
```

　カオスから生まれた大地母神ガイアは、誰と結婚することもなく、天空（ウラノス）、世界の山々、そして海（ポントス）を産み落とし、ここに陸海空の3要素がそろうことになりました。

　ガイアはウラノスと結婚し、多数の子供を産みます。彼らが、のちにゼウスを産む神々の種族「ティタン神族」です。

> ニュクス様やヘメラ様、エレボス様のような神様は、神話ではほとんどお名前を見たことがないですね。よく拝見するのはエロス様くらいでしょうか。
> 私のひいお祖母さまでもありますし、本当にみんなガイア様の子なのですね。

ゼウス、神々の頂点へ！
ギリシャ神話の最高神は誰か？

　ギリシャ神話の最初の最高神は、ガイアを妻とした天空神ウラノスでした。しかしウラノスは、醜い息子を虐待したため母と子に恨まれ、息子のクロノスに男根を切断されて最高神の地位を追われてしまいます。しかしクロノスも、自分の子供を生まれるそばから丸呑みにして妻に恨まれてしまいます。クロノスは結局、末子ゼウスに追放されて最高神の座を追われたのです。

2世代続けて息子が父を追い落とす

　ギリシャ神話の最高神は、天空神ウラノスから農耕神クロノス、そして雷神ゼウスと、いずれも息子が父を追放する形で代替わりしています。

　ウラノスが追放されたのは、彼が自分の醜い子供を虐待したため、ガイアに恨まれたのが原因でした。しかし新しく最高神になったクロノスは、ウラノスから受けた「お前の地位はお前の子供に奪われる」という呪いの予言を恐れて、妻であるレア（→p104）とのあいだに生まれた子供を次々と丸呑みにしてしまいます。これが妻レアと母ガイアの怒りに触れ、密かに養育された息子ゼウスによって、クロノスも最高神の地位を追われたのです。

> 現実世界じゃ、もともとギリシャには自然崇拝の宗教があったんやけど、そこにゼウス様を頂点とする新宗教が入ってきて、古い宗教を倒したんや。この古い宗教の神々っちゅうのが、クロノス様たちティタン神族の皆さんやね。
> ウラノス様がアレを切り落とされる神話は、いわゆる「ゼウス教」が作った神話や。ゼウス様の反乱を正当化するために、「親父も反乱したんだ」って話をつけたしたようにも見えるなあ。

最高神の代替わり

父 天空神ウラノス
醜い兄弟を虐待 → 反乱

子 農耕神クロノス
兄弟全員を丸呑み → 反乱

孫 雷神ゼウス

神々の大戦争1
ティタノマキア

　ゼウスによって最高神の地位を追われたクロノスですが、彼はゼウスに屈服したわけではありませんでした。奪われた至高の地位を取り返すべく、クロノスは自分の兄弟「ティタン神族」に呼びかけて、ゼウス討伐の軍を起こします。

　身長100mを越える神々の、10年にわたる戦いは、世界中を巻き込み天地を揺るがす、壮絶なものになりました。

> あら、そういえば「ティタン神族」って何のことだったかしら……。

> パンドラはん、ティタン神族っちゅうのは、ゼウス様の親父さんである農耕神クロノス様の一族でっせ。大地母神のガイア様と、天空神ウラノス様のあいだに生まれた神と、そのお子さん方が「ティタン神族」って呼ばれてます。

　ティタノマキアとは「ティタン神族との戦争」という意味です。ゼウスたちオリュンポス神族はオリュンポス山に陣取り、オトリュス山に陣取ったクロノスたちティタン神族と激しく戦いました。大地を揺るがし、森を燃やすほどの激戦でしたが、神々の実力は伯仲し、10年戦っても決着がつきません。

交渉によって戦局を打開

　祖母のガイアから助言を受けたゼウスは、祖父ウラノスが冥界に幽閉していた、単眼巨人キュクロプスと百腕巨人ヘカトンケイルを説得して自軍に加えます。ゼウスたちがキュクロプスの作った武具で戦い、ヘカトンケイルが巨岩を投げつけると、ティタンたちは総崩れとなりました。ゼウスが、敗れたティタン神族の男たちを冥界タルタロスに幽閉したことで、世界はゼウスたちオリュンポスの神々のものとなったのです。

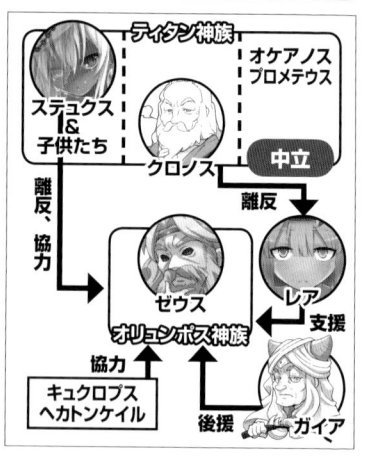

> これでゼウス様たちの天下は安泰……と思ったら大間違いですよ〜。まだまだゼウス様の地位に不満を持っている神様はいるんです〜。それは、みんなのお母さん、これまでゼウス様をすーっと支援してきた大地母神、ガイア様なんです〜！

神々の大戦争2　ギガントマキア

　ティタン神族を倒して世界の覇権を手に入れたかに見えたゼウスの前に、最後の試練が立ちはだかります。これまでゼウスに味方してきた大地母神ガイアが、ゼウスの傲慢な振る舞いに怒り、最強の種族「ギガス」を生みだして、オリュンポスの神々に襲いかかったのです。

　ゼウスたちにとって最後の大戦争、「ギガントマキア」が幕を開けました！

> ま、まだ戦わなくちゃいけませんの！？
> そもそもギガスなんて聞いたことありませんわ、いったいどんな連中ですの？

> ギガスっちゅうのは、天空神ウラノス様がちんちん切られたときの血が、大地、つまりガイア様にかかって生まれた巨人族や。外見は基本的にでっかい人間やけど、両足が蛇に、頭がトカゲになっとる。しかもこいつら、神様の攻撃では決して死なへんのや！

　大地母神ガイアは、我が子であるヘカトンケイルやキュクロプスが地上で過ごせることを望んでゼウスに力を貸していました。しかしゼウスが彼等に与えた役目は、打ち負かしたティタン神族の牢屋の番人……これでは結局、冥界タルタロスから出ることができません。

　不満を持ったガイアは、息子の待遇改善のためにゼウスに挑戦したのです。

人間の力を借りての勝利

　神々はギガスと肉弾戦で激しく戦い、それぞれギガスたちを打ち倒します。しかし神々の攻撃ではギガスは死にません。そこでゼウスは、人間の女と交わって英雄ヘラクレスを産ませ、彼をギガントマキアに投入したのです。ヘラクレスは弱ったギガスに毒の弓矢でとどめを刺してまわり、ついに神々を苦しめたギガスたちは全滅しました。

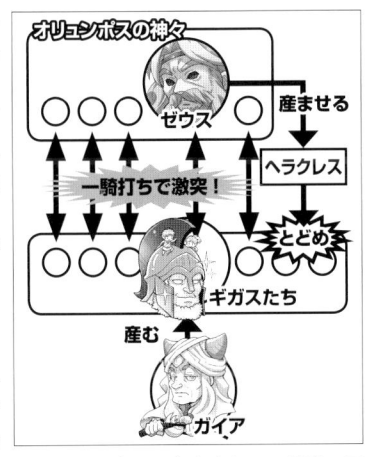

> このあとガイア様は「テュポン」っちゅう最強の怪物を産みだして最後の戦いを挑んどる。ゼウス様以外の神様が錯乱して逃げ出すくらいの化け物なんやけど、ゼウス様は苦戦のすえに、テュポンを山の下敷きにして勝ったんや。これ以降、ゼウス様に反乱を起こすもんはいなくなって、ゼウス様の支配が安定したというワケや！

神と人間のギリシャ神話

メティス様、神様の歴史は大事ですけど、ギリシャ神話の主役は神と「人間」ですわ！ こっちについても説明するべきじゃないでしょうか。私、神様についてはまだまだですけど、人間の世界にはちょっとくわしいんですの♪

人間はどうやって生まれた？

ギリシャ神話には、人間の誕生について触れた物語が複数あります。その内容はバラバラで、「これが正しい神話」といえるものはありません。

ただしどの神話でも共通しているのは、人類は大地から生まれた生き物だとされていることです。ギリシャ神話において大地とは、大地母神ガイアの肉体にほかなりません。つまり人類はすべてガイアの子孫なのです。

人類がガイアから生まれたことは、ギリシャ神話において動かしがたい事実ですが、材料が何かはともかく「誰の意志で人間が作られたのか」が、個々の神話ごとに違っています。

地面として横たわるガイアから勝手に生まれたとする説もあれば、ときの最高神の指示で生み出されたとするもの、人類の味方として有名な神プロメテウス（➡p174）が人類を作ったとする神話も紹介されています。

われわれ神々も、大半は大地母神のガイア様から生まれましたから、神様と人間は遠い親戚ということになるんですね〜。

プロメテウスの人類創造

ある神話によれば、プロメテウスはガイアの肉である「土」に自分の涙を混ぜてこね上げ、粘土人形を作りました。これに技術の神アテナが魂と命を吹き込んだことで、人間という生物が生まれたといいます。

プロメテウス以外の人類創造

プロメテウスが人類を作ったという神話は、ギリシャ神話のなかでは比較的マイナーなものです。比較的有名な神話では、以下の神々が人類を創造したとされています。
●大地母神ガイア
　人類は、ガイアの肉である「土」、あるいはガイアの骨である「岩」から生まれました。
●雷神ゼウス
　ヘシオドスの『神統記』という文献では、「オリュンポスの神々が人間を作った」という意味の記述があることから、オリュンポス神族の長ゼウスが人類の創造者となります。
●農耕神クロノス
　上の設定をもとにすると、ゼウスが最高神でなかった時代は、クロノスがガイア（土）を材料に人類を作ったと考えられます。

「最初の人類」と「今の人類」は違う生物!?

> 私は事情があって、こく初期の人間のみなさんが、どんな方々だったのかを知っておりますの。どなたも、今の人類のみなさんとは、かなり違った雰囲気でしたよ。……なんでだと思います？

ギリシャ神話最古の文献のひとつ、詩人ヘシオドスの『仕事と日』によると、ギリシャ神話においてはじめに作られた人間の種族は、現代の人類とは似ても似つかない存在でした。人類は繁栄と滅亡を繰り返し、神々はそのたびに新しいコンセプトで新しい人類種族を作ったのです。『仕事と日』では、人間が生きていた時代を5つに分け、時代ごとの人類種族の特徴を説明しています。

人間種族の種類と時代

黄金の時代
最高神：クロノス
霊的存在に進化

最高神クロノスがはじめて作った人間「黄金の種族」は、信心深く穏やかな性格で、まったく老いず、眠るように穏やかに死にます。やがて黄金の人類は霊的存在に進化し、地上から姿を消しました。

銀の時代
最高神：ゼウス
種族滅亡

ゼウスが作った銀の種族は、思慮が浅くて欲望が強い種族でした。彼らは神を信じず儀式を行わなかったため、ゼウスはこれに怒って銀の種族を滅ぼし、冥界タルタロスに送り込みました。

青銅の時代
最高神：ゼウス
洪水で文明滅亡、生き残りが……

3番目の種族である青銅の種族は、好戦的で、武器を発明しておたがいに殺し合いを楽しむ野蛮な人種でした。ゼウスは洪水を起こして彼らを一掃しようとしますが、1組の夫婦が生き残ります。

英雄の時代
最高神：ゼウス
英雄のみ、楽園へ

洪水を生き残った夫婦（→p190）の子孫たちの世代です。銀や青銅の時代よりはよい社会で、神と人が交わって生まれた「英雄」が活躍しました。神話の英雄のほとんどはこの時代の人物です。

鉄の時代
最高神：ゼウス
ギリシャ神話の「現代」

鉄の時代は『仕事と日』の作者ヘシオドスが生きた、紀元前7世紀ごろです。ヘシオドスは「現代」の人間が、神への畏れを忘れ、嫉妬深くどん欲で恥知らずになったので、いずれ世界は滅ぶと警告しています。

人類を"進化"させた神プロメテウス

　前のページで紹介した『仕事と日』が、人間の時代を5つに分けているのは、あくまでギリシャ神話のなかの一説にすぎません。
　ですが、ギリシャ人が「昔の人類は今より優れた存在だった」という共通の認識を持っていたことは事実です。たとえば『仕事と日』の5時代説で、最初の「黄金の種族」と現代の「鉄の種族」を比較すると、このような大きな違いがあります。

黄金の種族（旧人類）の特徴

- 肉体が老化しない
- 神々のごとく穏やかな心
- 労働をしない
- 自然の恵みをそのまま食べる
- 信心深い

鉄の種族（新人類）の特徴

- 寿命は短く、老いて死ぬ
- どん欲で嫉妬深く恥を知らない
- 道具を使い労働しないと暮らせない
- 火などで調理して食べる
- 神への畏敬を忘れている

> ……と、ふたつの人間種族はこんなに違いますの。
> 私がものを知らなかったせいで、人間のみなさんがこんなに悪い種族になってしまって、責任を感じてしまいますわ……。

> そ、そんな、パンドラさんが責任を感じる必要はありませんよ。それに道具を使って労働するというのはいいことではありませんか！
> （ひそひそ）箱さん箱さん、パンドラさんが「自分のせい」とは、いったい何が？

> えっとな、そのへんの事情は右のページで説明するさかい。
> ともあれ、人間ちゅう種族がこんなに違う種族に変わったのは、プロメテウスっていう神様ががんばったのが原因なんや。

プロメテウスとはどんな神？

　プロメテウスは優れた知恵を持つ神です。彼はティタン神族ですが、賢明にもティタノマキア（→p168）でクロノスに味方しなかったため、ゼウスの勝利後にオリュンポス山に迎えられました。
　プロメテウスは人間を愛しており、神と人間の利害が対立したときは人間の味方につきます（右ページ参照）。それをゼウスにとがめられたプロメテウスは、罰として、東の山の頂上にその身を縛り付けられ、生きたまま肝臓をハゲワシに食われ続けるという刑罰を受けました。この刑罰は、のちに英雄ヘラクレスがプロメテウスを救うまで、数十年から数千年も続いたといわれます。

ゼウスvsプロメテウス 人類の未来をかけた争い

人類の特徴が変わった理由は、人間に罰を与えようとするゼウスと、人間を優遇しようとするプロメテウスの、以下のような意見対立を発端とした争いでした。

不公平な！ （ゼウス）

人間にうまいものを食べてもらおう

プロメテウス、生け贄の取り分を人間有利に裁定

人間と神々が、生け贄に捧げる家畜をどう分けるか相談したとき、プロメテウスはゼウスをだまし、人間が家畜の肉を、神は家畜の骨を得るよう、人間有利の工作を行いました。

（プロメテウス）

ふん！火などやらん！

ゼウス、人間から火を奪う

ちょ!?

不平等な分け前と、だまされたことに怒ったゼウスは、人間に、生活に役立つ「火」を授けるのをやめてしまいます。

ワシに逆らうだと……!?

プロメテウス、火を盗み出して人間に与える

そりゃないでしょ！

人間が、火がなくて困っているのを見たプロメテウスは、鍛冶神ヘパイストスの鍛冶場から火を盗み出して人間に与えました。

ゼウス、人間を滅ぼすべく、呪いの少女パンドラを作り、大洪水を起こす

ええええっ!?

人間など滅びてしまえ！

ゼウスの意志に反して2度も利益を得た人間たちを、ゼウスはついに滅ぼすことを決めます。まずはパンドラという少女を作って人間社会に送り込み、災厄が詰まった箱を開けさせて人類に災いを与えます（→p74）。ですがそれだけでは満足せず、ゼウスは大雨を降らせて地上に大洪水を起こし、人類を絶滅させようとします。

もう許してやるか

プロメテウス、1組の夫婦に洪水を伝えて救う

ひとりでも救わないと！

洪水の到来を知ったプロメテウスは、デウカリオンとピュラという夫婦に洪水の到来を教え、避難用の船を造らせることでかろうじて1組の人類夫婦を救いました。

わたくしがなにも知らなかったせいで、箱さんの蓋を開けてしまったせいで、あんなことになってしまったのですわ。
あれさえなければ今も人間のみなさんは、平和に暮らしていましたのに……。

パンドラちゃん〜、落ち込まない落ち込まない〜。プロメテウスさんがゼウス様に逆らったせいだから、パンドラちゃんは悪くないんですよ〜。
（私が立てた作戦だってことは、これは絶対言えないですね〜（汗））

ギリシャ神話の神様相関図

ギリシャ神話の代表的な神様、女神様の関係を図にまとめましたよ〜。この図では、神様どうしの血縁関係よりも、おたがいの感情や人間関係に注目しています〜。それから、ゼウス様はあまりに多くの神様とかかわりがあるので、一部を除いてゼウス様との関係は省略しましたから、お許しくださいね〜？

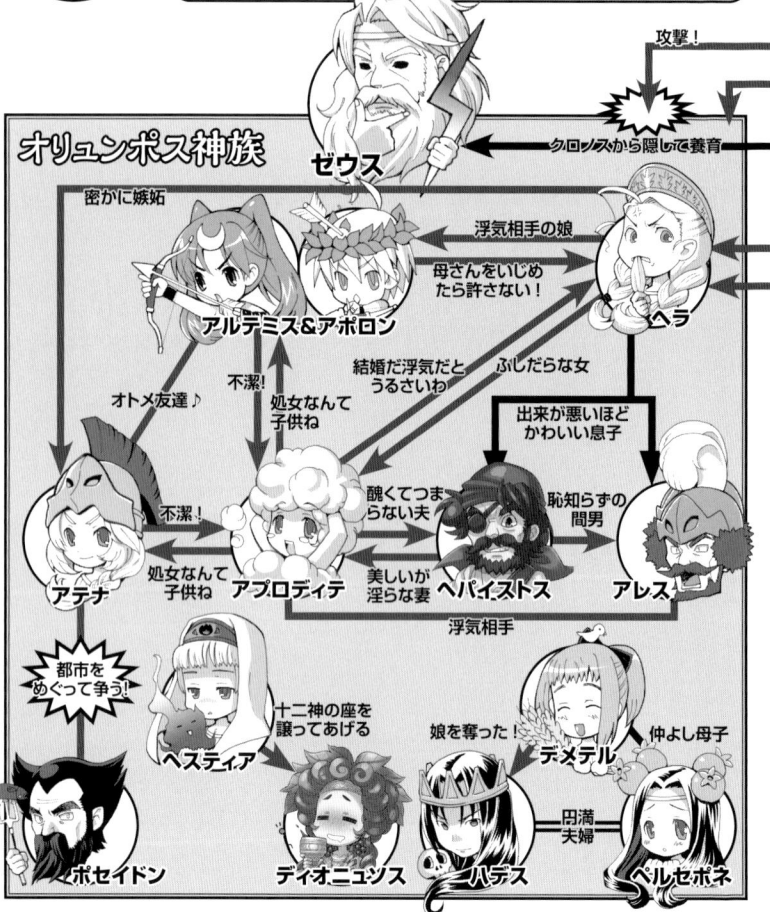

ゼウス

攻撃！
クロノスから隠して養育

オリュンポス神族

密かに嫉妬

アルテミス&アポロン
- 浮気相手の娘
- 母さんをいじめたら許さない！

ヘラ
- 結婚だ浮気だとうるさいわ
- ふしだらな女
- 出来が悪いほどかわいい息子

オトメ友達♪

不潔！
処女なんて子供ね

アテナ
- 不潔！
- 処女なんて子供ね

アプロディテ
- 醜くてつまらない夫
- 美しいが淫らな妻

ヘパイストス
- 恥知らずの間男

アレス
- 浮気相手

都市をめぐって争う！

ヘスティア
- 十二神の座を譲ってあげる

ポセイドン

ディオニュソス

ハデス
- 娘を奪った！
- 円満夫婦

デメテル
- 仲よし母子

ペルセポネ

176

原初の神とその眷属

- ガイア ― 夫婦 ― ウラノス
- ガイア → ひとりで産む → ギガス
- ガイア → ヘカトンケイル & キュクロプス（醜いので冥界に幽閉）
- クロノス → ウラノス（男根を切断し、追放！）
- ギガス → 協力

ティタン神族

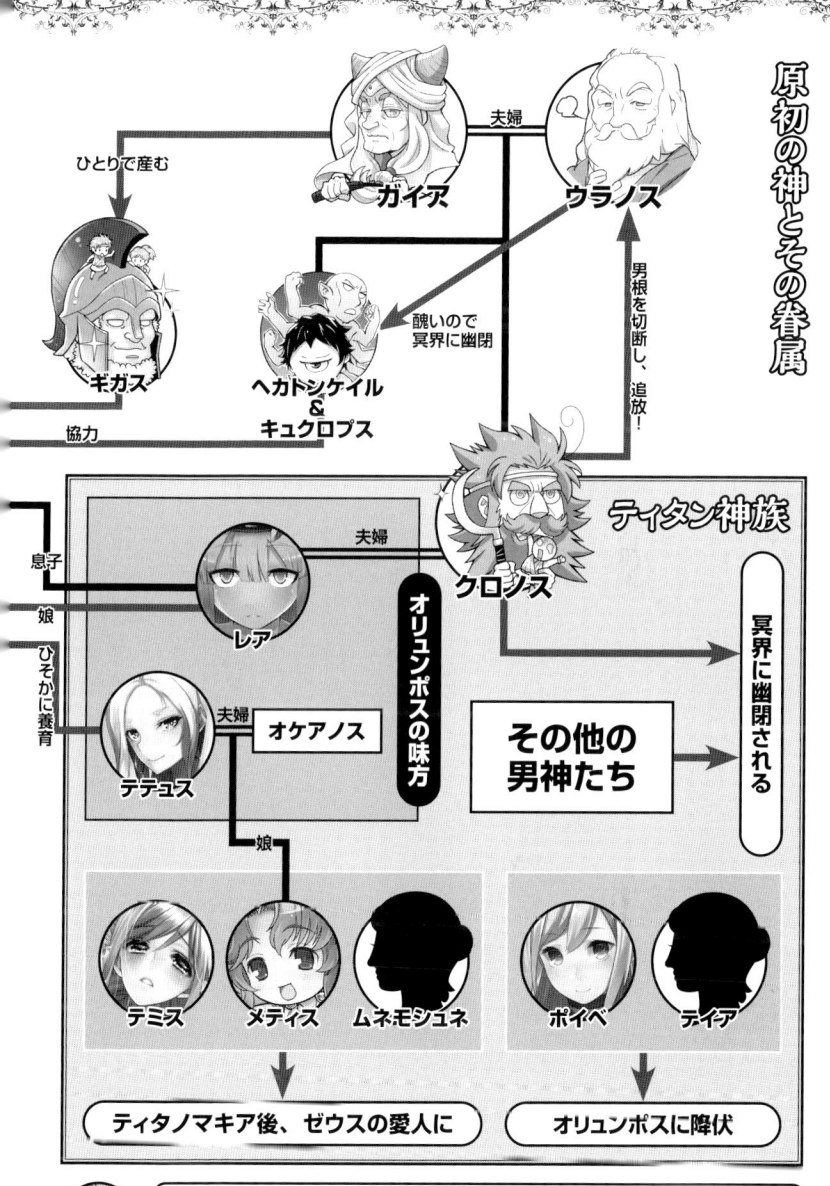

- クロノス ― 夫婦 ― レア（息子・娘）
- テテュス ― 夫婦 ― オケアノス（オリュンポスの味方）
- テテュス → 娘 → テミス、メティス、ムネモシュネ
- ポイベ、テイア
- その他の男神たち → 冥界に幽閉される
- レア → ひそかに養育

テミス／メティス／ムネモシュネ → ティタノマキア後、ゼウスの愛人に
ポイベ／テイア → オリュンポスに降伏

> ティタン神族というのは、簡単に言うとガイア様とウラノス様の子供たちです～。上の枠内に紹介しているのは、私を除いてみんなクロノス様の兄弟なんですよ～？ もちろん私メティスみたいに、ティタン神族の神様の子供も所属していますよ～♪

誰が書いたの？ギリシャ神話

ギリシャ神話って、たしか4000年くらい昔に生まれた古い神話なのに、つい1700年くらい前まで、新しい神話が作られてたんですよね。どんな人たちがギリシャ神話を作っていたんですか？

ギリシャ神話が書かれた時代

紀元前20世紀ごろギリシャ神話誕生！

①**詩人が神話を口伝えした時代**

最初のころのギリシャの神話は、詩人たちが師匠の語りを暗記して、文字どおり「口伝え」で語り継がれていたものなんや。

紀元前8世紀
②**神話が文字で書かれた時代**

このころから、ギリシャ人さんは、文字で神話を書き残すようになっていきます〜。その代表作が、ホメロスさんの『イリアス』と、ヘシオドスさんの『神統記』ですよ〜。

紀元前5世紀ごろ
③**神話が劇で演じられた時代**

ギリシャでは、市民の娯楽として、演劇が盛んだったそうです〜。神話を題材にした劇もたくさんあって、今では劇の台本が神話扱いされているんですよ〜。

紀元前2世紀ごろ
④**古代ローマ統治下の時代**

欧州全土を支配した「古代ローマ」って国が、ギリシャを支配してた時代や。ローマ人はギリシャ神話を尊敬していてな、ローマ統治下でも遠慮がいらないんで、新しい神話がたくさん作られたんや。

2〜3世紀

新しい神話の制作がはじまる

ギリシャ神話は、こんな感じで時代ごとに違った趣向で神話が作られたの〜。こんなことを2000年以上続けていたから、ギリシャ神話には世界でもめずらしいくらい、バリエーション豊かなお話があるのですよ〜♪

ホメロスとヘシオドス：ギリシャ神話の父

　現存するギリシャ神話のなかで最古の作品であり、ギリシャ神話2000年の歴史のなかでもっとも重要な作品といわれているのが、詩人ホメロスの物語『イリアス』と『オデュッセイア』、そして詩人ヘシオドスが書いたとされる、神々の系譜を歌った詩『神統記（テオゴニア）』です。ホメロスは豊かな物語で、ヘシオドスは幅広く緻密にまとめた設定で、それぞれにギリシャ神話の世界を描いています。

神話物語の最高傑作は、すでに2800年前に完成しているッ！

ホメロス
代表作：『イリアス』『オデュッセイア』

　ホメロスとは「盲目の人」という意味。彼は後天的な盲目でしたが、ハンデを乗り越えてギリシャ最高の詩人と呼ばれました。
　『イリアス』は「トロイア戦争」という人間の大戦争に神々が介入する長編神話物語です。『オデュッセイア』はその続編です。

ギリシャの神話体系は、この私が作った！

ヘシオドス
代表作：『神統記（テオゴニア）』

　ヘシオドスは農民と詩人の二足のわらじをはく人物で、ホメロスと近い時代に生き、名詩人として並び称されていました。
　彼の作とされる『神統記』は、これまでばらばらだった神々の家系図や神話世界の歴史的出来事を、ひとつにまとめたはじめての作品でした。

　178ページの表は、紀元前2000年ごろにギリシャ南方のクレタ島でギリシャ神話の原型が生まれてから、新しいギリシャ神話が生まれなくなる3世紀ごろまでに、どのような形で神話が生まれてきたのか、時代ごとの傾向をまとめたものです。

　現代でも残っている文字になったギリシャ神話が誕生したのは紀元前8世紀ごろ、上で紹介したホメロスとヘシオドスの作品が文書化された時期でした。この時代の神話は、それまでギリシャ各地で語り継がれてきた神話の断片をつなぎあわせ、詩人独自のアレンジを加えたような内容が多くなっています。

　時代が進むと、神話を作るのは、詩人のなかでも劇の脚本を書く作家的な詩人や、神話を通してギリシャの歴史を研究する学者たちが多くなっていきます。

　そして紀元前140年以降、古代ローマがギリシャを統治下に置くと、それまでギリシャの神話を自分たちの神話に取り入れていた（→p17）古代ローマとの文化交流が盛んになり、それまでよりさらに娯楽性を重視した新しい神話が作られました。

> 2～3世紀ごろから新しい神話が作られなくなったんは、「キリスト教」ちゅう新しい宗教が広まったからや。でも1000年くらいあとに、「ルネサンス」っていう、古い文化を掘り起こそうって活動が起きてな。それでギリシャ神話はまた注目されるようになったんや。

はじめてのギリシャ神話 おすすめ物語

これまで話してきた「ギリシャ神話の基礎」がわかっていれば、もうどんなギリシャ神話でも楽しむことができますよ～♪
はじめてギリシャ神話のお話を読んでみたい！　という子におすすめの作品をいくつか紹介しますね～。

四季の星座神話

日本人にとってもっとも身近なギリシャ神話は「星座の神話」でしょう。この本では、夜空の星座を、星座が見られる季節ごとに春夏秋冬の４つに分類。その星座にまつわる物語を読みやすい文章で紹介しています。

四季の星座神話（誠文堂新光社）著：沼澤茂美、脇屋奈々代／1600円（税別）

ギリシア神話を知っていますか

ギリシャ神話を代表する12の物語を、日本の作家、阿刀田高が独自の切り口でまとめた物語集。長い神話も手頃なサイズで楽しく書かれており、ギリシャ神話の物語のあらすじを楽しく読みたい人におすすめです。

ギリシア神話を知っていますか（新潮文庫）　著：阿刀田高／490円（税別）

タイタンの戦い

ギリシャ神話の雄大な世界観を肌で感じるには、映像作品がベスト。『タイタンの戦い』は、最新のSFX技術でギリシャ神話の英雄や神々、怪物が大暴れする娯楽作品。人物設定が原典と違うことに気をつけて楽しんでください。

タイタンの戦い（ワーナー・ホーム・ビデオ）　ブルーレイ＆DVD

このページでは、とにかく読みやすく、楽しみやすいものを選びました～。
ギリシャ神話に慣れてきたら、『イリアス』や『オデュッセイア』、『神統記』や『アルゴー号の冒険』『変身物語』のような原典を読むのもいいですよ～？

ギリシャ神話を彩る女たち
Heroines of Greek Mythology

ギリシャ神話で目だっとる女の人は、
なにも女神ばっかやないで。
人間だって物語の中心で大活躍しとるんや。
男たちがみな振り向くような
絶世の美女がおれば、神様を越える職人、
男顔負けの戦士かて活躍しとる。
そもそもギリシャ神話の半分以上は
人間のほうが主役なんや。
人間の女の子のことも知っておかな、
もったいないで！

ギリシャ神話を彩る女たち

> さきほども話しましたけど〜、ギリシャ神話のお話は、神様が主役のお話より、人間が主役のお話が多いんですよ〜。ということはですねえ、女神だけじゃなく、人間の女性も紹介しなくちゃダメですよね〜？

どんな女性を紹介するの？

「ギリシャ神話を彩る女たち」のコーナーで紹介するのは、ギリシャ神話の物語で重要な役目を果たす女性や、目立った活躍はないものの、後世の文化に大きな影響を残した女性の登場人物です。

彼女たちの多くは神の血を引いており、なかには両親がともに神である人物もいますが、物語中で不老不死である記述が見られないなど、神やニンフの要素を満たしていないため、これまでのページでは紹介できなかった女性たちです。

本コーナーでは、ギリシャ神話に無数に登場する女性たちのなかから、とくに厳選した 23 名の女性たちを紹介します。

> ギリシャ神話に登場する女性はですね〜、チャンスをつかんで幸せな暮らしを手に入れた子もいるんですけど〜、自分の失敗とか、他人の巻き添えとかで、不幸になっちゃった子も多いんです〜。

> 他人の巻き添え……つまり自分は悪くないってこと!?
> 自分のせいでもないのに不幸になるなんて、我慢できませんわ！

> うーん、ですけど「親の因果が子に巡り」ともいいますし……。
> 親子関係はどうしようもないですけど、せめておつきあいする相手は問題のない方にしたほうがよいと思います。

> ええ、幸せをつかむためには、成功した例だけじゃなくて、失敗例を見て、その原因を知ることも大事ですよ〜。23 人の女性たちのプロフィールをみて、しっかり勉強していきましょうね〜♪

カシオペイア

原典:『英雄ペルセウスの神話』

ギリシャ神話で起きる悲劇はですねぇ、だいたい神のほうの勝手な都合か、人間のほうの傲慢な言動がきっかけで起きるんです～。人間の場合、特に多いのが「自分は神よりもスゴイ」って口走っちゃうことですね～。このカシオペイアさんという奥さんも、それで国を滅ぼしかけちゃった人ですよ～。

カシオペイアは、アフリカ東部エチオピアの王妃である。彼女は自分の美しさを誇り、海神ネレウスの娘である海の精霊ネレイデスたちより美しいと自慢したのである（自分のことではなく、娘アンドロメダの美しさを自慢したという説もある）。

これを聞いたネレイデスたちは、カシオペイアの傲慢を、海の支配者ポセイドンに訴えた。ポセイドンは訴えを聞き入れ、カシオペイアの国エチオピアに、ケトスという海のモンスターを送り込んで散々に荒らし回った。神託によって神々の意図を知ったエチオピア王は、ポセイドンの怒りを鎮めるために、カシオペイアとの娘アンドロメダを怪物の生け贄に捧げることにしたのだった。

アンドロメダ

原典:『英雄ペルセウスの神話』

お母様の失敗のせいで娘さんが犠牲になってしまうのって、娘さんだけでなくお母様にとっても残酷なことですよね。
あ、そうそう。アンドロメダさんは、絵画に描かれるときは白人の女性のことが多いんですけれど、実際にはアフリカの人なので、肌は褐色だったみたいですよ。

アンドロメダは、エチオピア王ケペウスとカシオペイアの娘で、絶世の美女として知られていた。だが母カシオペイアの傲慢を罰するために遣わされた怪物ケトスをなだめるため、アンドロメダは怪物に捧げる生け贄として、海の岩場に全裸で（あるいは薄布1枚で）縛り付けられ、怪物に食われるときを待っていた。

ここにあらわれたのが、見た者を石化させる怪物「メドゥサ」を退治し、天馬ペガサスに乗って故郷へ帰ろうとしていた英雄ペルセウスである。彼は美しいアンドロメダに一目惚れし、ペガサスを駆って怪物ケトスを退治した。アンドロメダは自分を助けたペルセウスの妻となり、7人の子供をもうけて幸せに暮らしたという。

ダナエ
原典:『英雄ペルセウスの神話』

> さあ、いよいよ登場です〜。ダナエさんにそれはもう数えきれないくらいいる、我がダンナ様、雷神ゼウスの毒牙にかかってしまった女性のひとりですよ〜。
> 彼女のお父さんも必死に抵抗しようとしましたが、あの人の前では無力ですよね〜。

　アンドロメダを救った英雄ペルセウスは、なぜ怪物メドゥサと戦ったのだろうか？それは、彼が神のお告げを背負い、神の血によって生まれてきたからだ。

　ペルセウスの母親ダナエは、父が受けた「お前は自分の子供に殺される」という予言によって、青銅の塔に閉じ込められていた。しかしどんな防備も神の前には無力である。ダナエに惚れ込んだゼウスは黄金の雨に変身して青銅の塔の中に降り注ぎ、ダナエと交わって思いを遂げた。こうして生まれたのがペルセウスである。

　その後この母子は、箱に入れて海に捨てられた。漂流先の島の王がダナエを見そめ、邪魔なペルセウスを追い出すために怪物退治を命じたのである。

デイアネイラ
原典:『ヘラクレス神話』

> 奥さん、悪質な訪問販売には気をつけたほうがええで。すごい効果のある薬だとだまされて、効果のないもんを売りつけられるだけならまだええ。場合によったら薬といいつつ毒を売りつけられてまうこともあるんや。このデイアネイラっちゅう奥さんなんか、そのせいで旦那さんを死なせてもうたんや。

　ギリシャ最強の英雄ヘラクレス（→p137）が、デイアネイラという美しい妻を娶（めと）って帰る途中、川の渡し守ネッソスが彼女に横恋慕し、ヘラクレスをだまして彼女を犯そうとした。ネッソスはヘラクレスが放った毒矢で死亡するが、死の間際にデイアネイラに「自分の血は媚薬だ」というとんでもないウソをついていた。

　のちにヘラクレスが別の女性に興味を示すと、デイアネイラは彼が自分に飽きたのではないかと恐れ、密かに採取していたネッソスの血をヘラクレスの下着に塗ってしまう。ネッソスの血には、毒矢からしみ出した猛毒が残留しており、これを着たヘラクレスは苦しみのあまり、自分の体を火で焼いて死を選んだという。

ヒッポリュテ
原典:「ヘラクレス神話」「テセウス神話」など

> ギリシャ神話では男性の英雄が目立っていますけど、女の子だって守られてばっかりじゃありませんわ！ 東方に住むアマゾネスというみなさんは、男勝りの戦士ばっかりの、女性だけの部族なんです。ギリシャの英雄と戦っても、一歩も引かずに互角に渡り合うんですって。あこがれちゃいます！

　ヒッポリュテは女戦士アマゾネスたちの女王で、軍神アレスから与えられた魔法の帯を持っていた。彼女は複数の神話に別の役割で登場するが、いずれも不幸な最後を迎えている悲劇のヒロインである。

　英雄ヘラクレスの伝説では、ヘラクレスは自分の罪をつぐなうために12の難行を命じられており、その9番目の難行が、このヒッポリュテの帯を手に入れることだった。ヘラクレスはギリシャ神話最強と呼ばれる戦士だが、決して武力一辺倒ではなく、策略や交渉で物事を解決する知恵も持っている。彼はヒッポリュテと直接交渉を行い、帯を譲り受ける約束をとりつけたのだが、おもしろくないのがヘラである。浮気相手の子供であるヘラクレスを敵視するヘラは、みずからアマゾネスのひとりに変身。「ヘラクレスが族長を誘拐しにきた」と流言をばらまいて、アマゾネスたちにヘラクレス一行を襲わせたのだ。結局ヘラクレスは、不本意ながらヒッポリュテを殺して帯を奪い取ることになってしまった。

　英雄テセウスの神話では、テセウスがクレタ島の王女パイドラを3人目の妻に迎えたとき、ほかのアマゾネスたちとともに結婚式を襲撃した。彼女はこの戦いのなかで死亡したとされるが、テセウスに殺されたとも、逆にテセウスの味方についてアマゾネスに殺されたとも、戦闘中の事故で親友ペンテシレイア（→p193）が誤って彼女を殺したとも伝えられている。

アマゾネスとは？

　アマゾネスっちゅうのは、ギリシャ神話によう出てくる戦士の種族やな。このアマゾネスたちは、部族の全員が女しかいないちゅう変わった連中なんや。弓の達人が多くて、弓の弦が当たらないように左のオッパイを切り落とす習慣があるっていうで。

　ちなみにアマゾネスっちゅうと、「アマゾン川」のあるブラジルに住んどるようなイメージがあるかもしれんが、実際に住んどるのはギリシャの北東、黒海っちゅう内海の沿岸地やな。せやから黒海はギリシャ人に「アマゾン海」って呼ばれてたらしいわ。むしろアマゾン川のほうが後発でな、ヨーロッパの探検家がこの川で髪の長い部族に襲われたんで、アマゾネスを連想してつけたって噂されとる。

パシパエ&キルケ

原典:『英雄テセウスの神話』『オデュッセイア』

> ギリシャ神話の男性たちは浮気さんばっかりですけど、女性のほうも、愛が重い人がたくさんいるように思いますね。
> このキルケさんなんて、監禁、家畜化、そのうえ「食べちゃう」なんてとんでもないです！ いくら美人でも、これじゃあ男性が引いてしまいますわよね……。

　ギリシャ神話には魔術を使う女性、いわゆる「魔女」が数多く登場する。彼女たちはそのなかでもギリシャを代表する魔女で、太陽神ヘリオスと女神ペルセイス（→p149）のあいだに生まれた姉妹。血統的には女神と呼んだほうがふさわしい存在である。

牡牛に恋したパシパエ

　パシパエはギリシャ南部の島「クレタ島」の王、ミノス王の妻であり、「牛に恋して性的交渉を持った」という驚きの経歴の持ち主だ。
　とはいえ彼女は異常性癖だったわけではない。原因はむしろ彼女の夫、ミノス王にあった。ミノス王は海神ポセイドンに「最高の牛を捧げるから、それをこの島に呼んでほしい」と頼んでいた。ポセイドンは要請に応えて最高の牛を与えたが、ミノス王はその牛を気に入りすぎて生け贄にするのが惜しくなり、別の牛を生け贄に捧げてお茶を濁したのである。これにギリシャの神が怒らないわけがない。ポセイドンは罰として、彼の妻パシパエがこの牛に欲情するよう仕向けたのだ。
　欲情を押さえきれなくなったパシパエは、名工ダイダロスに頼んで、メス牛の張りぼてを作ってもらい、その中に潜んで牛の男根を待ち望んだ。こうして生まれたのが、牛頭に人の体を持つ迷宮の番人、怪物ミノタウロスなのだ。

男を「獣に変える」魔女キルケ

　ギリシャの北西にあるアイアイエ島に、無数の動物たちとともに住む美しき魔女、それがキルケだ。彼女は気に入った男を見つけると、この島に連れて行って養い、飽きると魔法で獣や家畜に変えてしまう。アイアイエ島に住む動物たちの多くは、こうしてキルケに変えられてしまった人間のなれの果てなのである。
　男を家畜扱いしていたキルケの心を射止めたのは『オデュッセイア』の主人公オデュッセウスだった。彼は人間を家畜に変える薬を見破ると、別の薬で無効化し、逆に剣で追い詰めて、獣に変えられた部下たちを元に戻させた。キルケは彼をすっかり気に入ってしまい、1年間もオデュッセウスとその部下を歓待したという。

エウロペ
原典:『テーバイ王家の神話』

みなさん「ヨーロッパ」っていう地名はどこから来てるか知ってますか～？
実はこの名前は、ギリシャ神話に登場する人間のお姫様、エウロペちゃんの名前がもとになってるんですよ～。ゼウス様がエウロペちゃんを乗せて駆け回った場所が、ヨーロッパなんです～。

　エウロペは、中東の国フェニキアの王の娘である。その美貌は神々にも知られるほどで、最高神ゼウスが彼女をものにしようと動くことになった。
　ゼウスは白い牡牛に変身し、エウロペが花を摘んでいる野原に出現した。エウロペがこの牛に誘われて背にまたがると、牛は猛然と駆け出し、ヨーロッパ中をめぐったあと、ギリシャとフェニキアの中間にあるクレタ島に到着。ゼウスは変身を解いてエウロペと交わったという。
　ゼウスは、愛人エウロペが外敵から身を守れるよう、青銅でできた巨人「タロス」と、かならず獲物を捕る猟犬、投げても減らない槍を与えたという。

セメレ
原典:『テーバイ王家の神話』

え、夫が浮気をしたらどうするか、ですって？　もちろん、相手の女を徹底的に攻撃するわ。結婚契約の女神である、この私の夫と不倫するなんて、許されませんもの。え、旦那のほうはどうするのかですって？　ハァ、あの人が、私が言ったくらいで女遊びをやめる人だと思うのかしら？

　テバイ王カドモスの娘であるセメレは、ゼウスに愛された女性のなかでも特に悲劇的な結末を迎えた人物である。人間に変身したゼウスと交わって妊娠したセメレは、これに嫉妬したゼウスの正妻ヘラから、厳しすぎる罰を受けたのだ。
　ヘラは老婆に変身してセメレに接触すると、「あなたの交際相手は怪物かもしれない。本当の身分を明かすよう求めなさい」と入れ知恵した。セメレは「愛の証に、ひとつ願いを叶えると誓ってほしい」と頼んで、これをゼウスに承諾させた。セメレが正体を明かすよう求めると、誓いを破ることができないゼウスは、やむを得ず雷をまとった本性をあらわす。セメレはその雷に焼かれて死んでしまった。

アリアドネ
原典:英雄テセウスの神話

「アリアドネの糸」って知ってますー？　最近ではゲームなんかでもよく聞くようになりましたねー。これは迷宮の入り口からすーっと糸を出して、帰り道を知るための目印なんですー。この、糸を使って帰り道を知るという方法を編み出したのが、この賢い美少女、アリアドネちゃんなんですー。

　186ページで紹介した怪物ミノタウロスがクレタ島の迷宮に封印されると、これを退治するために英雄テセウスがやってきた。クレタ島の王女アリアドネはテセウスに一目惚れし、迷宮の奥から脱出するための糸球を渡す代わりに、自分との婚約を承諾させた。テセウスは入り口の近くに糸の片端を結びつけて迷宮内に入り、ミノタウロスを倒すと、アリアドネの糸を逆にたどって迷宮を脱出することができた。

　ところがテセウスは、婚約したアリアドネを伴って帰国する途中、眠ってしまったアリアドネを島に置き去りにしてしまった。悲しむアリアドネを酒の神ディオニュソス（→p99）がなぐさめ、やがてアリアドネはディオニュソスの妻になったという。

アタランテ
原典:「アルゴー号神話」など

「狼少年」って知ってます？　ウソつきって意味じゃないですよ、赤ちゃんのころにどこかに捨てられて、狼のオッパイを飲んで育った人間の男の子のことです。ギリシャ神話にも狼少年はいますけど、このアタランテさんはもっとすごいですよ！　なんと、クマのお乳をもらって育った人なんです。

　女神アルテミスが遣わした熊に育てられたアタランテは、恩人アルテミスにならって処女を貫き、自分を犯そうとする男は弓で殺すという勇敢な乙女だった。

　アタランテは「自分と徒競走をして勝った男の妻になるが、自分に負けた男は全員殺す」という残酷な条件を突きつけ、勇敢な挑戦者を次々と殺してしまう。だがメラニオンという青年が、女神アプロディテから授かった黄金のリンゴを「追いつかれる前に後ろに投げる」という策を使い、リンゴを拾うアタランテを引き離して勝利した。彼を夫と認めたアタランテは夫婦の契りを交わすが、アプロディテの神域で性交を行ったため、ふたりは罰としてライオンに変えられてしまった。

アルタイア

原典:『アルゴー号神話』『カリュドンの猪狩り』など

> 人間の寿命が、モイライさんたちに決められていることは50ページで話しましたね〜。あの説明ではひもを切って人間の寿命を定めていましたけど、この神話では「たいまつ」で英雄さんの寿命を決めています〜。お話のカギになるのは、英雄さんのお母様、アルタイアさんですよ〜。

　ギリシャの国カリュドンの王妃であったアルタイアは、ギリシャ神話の英雄である王子メレアグロスの母親である。メレアグロスが勇者として名を知られた理由は、その生まれに秘密があった。メレアグロスが生まれたとき、運命の三女神モイライがアルタイアの夢枕にあらわれ、

「暖炉に燃える枝が燃え尽きるまで、お前の息子は生き続けるだろう」

　と宣言した。すなわち幼い息子の命が、あとわずかで燃え尽きるというわけだ。アルタイアはとっさに目を覚まし、燃えさかる暖炉の中に手を突っ込んで、燃えている枝を取り出した。彼女はすぐさま枝の火を消し、厳重に箱にしまって誰にもわからない場所に隠したのである。その結果、運命の三女神の予言はメレアグロスの不死身さを保証するものとなった。彼がどれだけ危険に身をさらしても、母が隠した枝が燃え尽きないかぎり、メレアグロスが死ぬことはないのである。

不死の終わりは母の怒りから

　成長したメレアグロスには、アタランテ（→p188）という恋人ができた。親に捨てられ、熊に育てられたというアタランテは勇敢で足の速い美女であったが、メレアグロスの叔父たちは、彼女の生まれが卑しいといってアタランテを侮辱したため、メレアグロスは叔父ふたりを殺し、アタランテを妻とすることにした。

　メレアグロスが殺した叔父たちは、母アルタイアにとっては兄弟にあたる。愛する兄弟を殺されたこと、王子の身で身分すら怪しい野生児の女を妻にしたことで激怒したアルタイアは、秘密の隠し場所から焦げた枝を取り出して火にくべてしまった。アタランテの目の前でメレアグロスは燃え上がり、燃え尽きてしまった。

> もしかして、アタランテさんが処女の誓いをアルテミス様に立てたのって、恋人のメレアグロスさんが死んでしまったからなのでしょうか？　目の前でいきなり恋人が亡くなったら……ショックですよね……。

> そういうことなんや。
> ところで人間の寿命がロウソクであらわされて、ロウソクが燃え尽きると死んでまうって昔話、知っとりますか？　実はこの神話が元ネタだって言われとるんや。

メデイア
原典:『アルゴナウタイ神話』

「愛する者のためなら、人はいくらでも残酷になれる」とかよく言うけど、実際どこまでいけちゃうものかしら？ このメデイアさんなんて、恋人を逃がすために弟をコマ切れにして捨てたり、恋人を奪おうとした女の子を焼き殺したり……ひーっ！ これが最近よく聞くヤンデレってやつなのね！

　ギリシャから海を越えた北東にある国コルキスの王女メデイアは、魔女神ヘカテ（→p142）の魔術をあやつる魔女である。女神と美を競えるほどの美女であり、死者の復活、生者の不死化、若返りなどの強力な魔術を自在にあやつる。
　彼女は、コルキス王国の宝物を求めにきた英雄イアソンに一目惚れし、彼の冒険を得意の魔法で全面支援する。その愛情は苛烈で残忍であった。イアソンがメデイアの母国の兵に追われたときは、弟を殺して遺体を刻み、追っ手が遺体を拾い集める隙に脱出した。また、イアソンが別の女性と結婚しようとしたときは、その女性に毒の染み込んだ花嫁衣装を贈り、彼女を毒で焼き殺してしまったという。

ピュラ
原典:『デウカリオンの洪水神話』

キリスト教では、世界で最初の女性は「アダムとイブ」で有名なイブさんと決まっとるけど、ギリシャ神話やと人間の種族が何回か滅亡しとるさかい、誰が最初かいまいちはっきりせえへん。このピュラはんは、4回滅亡して5回生まれた人間の種族のうち、4番目の時代で最初の女性になったお方や。

　ピュラは、173ページで解説した3番目の時代である「青銅の時代」に生まれ、その次の「英雄の時代」まで生きていた、唯一の生き残りである。
　ゼウスが青銅の時代の人間を滅ぼすことを決めたとき、ピュラの祖父であり人間を愛する神プロメテウスは、ピュラとその夫デウカリオンに洪水で世界が滅ぶことを教え、夫婦は方舟を作ってこの洪水を生き延びた。その後、夫婦が女神テミス（→p106）に祈りを捧げると、肩越しに「大地母神ガイアの背骨」すなわち石を投げよとのお告げがあった。夫婦がそうすると、夫の投げた石は男性に、ピュラの石は女性に変わったという。ピュラは新時代の人類を産み出した女性なのだ。

ヘレネ

原典:『イリアス』『テセウスの神話』など

> 男性ってみんな、美しい女性が好きなんですね。
> なんでもあまりに美しいせいで、その女性を奪い合った結果、戦争を引き起こしてしまった美人さんもいるんだそうですよ。
> このようなものを「傾国の美女」というのでしょうか？

　ヘレネは、美の女神アプロディテが「自分と同等の美女」と呼ぶほどの絶世の美女である。都市国家スパルタの王妃レダの娘で、過去にもギリシャの英雄に誘拐され、格闘家の兄たちカストルとポリデュケウスに奪還されたことがある。

　その後ギリシャの英雄たちは、ヘレネが誰と結婚しても戦争を起こさず、彼女が夫以外に奪われたら全員で救うという紳士協定を結んでいた。ヘレネの婿に決まったのはミュケナイという国の王子メラネオスだったが、アプロディテの加護を受けたトロイアの王子パリスがヘレネを奪ったため、ギリシャの英雄たちはヘレネ奪還の軍を起こした。これが有名な「トロイア戦争」（→p96）の発端であった。

レダ

原典:『イリアス』など

> 鳥に化けた神様と人間の女性がエッチしたら、子供はどういうふうに産まれてくると思いますか～？　正解は「女性が卵を産む」です～！　このレダさんは、ゼウス様が白鳥に変身して誘惑し、モノにした女性なんですよ～。我がダンナ様ながら、もうなんでもありですね～。

　レダは、ギリシャの都市国家スパルタの王妃である。だが性にどん欲な最高神ゼウスは、相手が美人であれば人妻相手でも自重などしない。彼は白鳥の姿でレダを誘惑して交わった。レダはその日のうちに本来の夫、スパルタ王ティンダレオスとも交わったため、レダはゼウスの子をふたり、ティンダレオスの子供をふたり同時に妊娠した。そして4人の子供はすべて卵として生まれてきたのだ。

　4人の子供のうち、女の子は、トロイア戦争の引き金となった美女ヘレネとクリュタイムネストラ。男の子はカストルとポリデュケウスの格闘家兄弟だ。このうちヘレネとカストルがゼウスの子、それ以外がティンダレオスの子とされる。

カサンドラ

原典:『イリアス』

> いままで生きてきて、「未来のことがわかったらいいのにな」って思ったこと、1回くらいあるやろ？　やめといたほうがええで。たとえ未来がわかっても、それをまわりの人に信じてもらえなかったら悲惨なことにしかならへんのや。このカサンドラはんのお話を読んで、よーく考え直しや。

　特別な才能はその持ち主を幸福にするだろうか？　彼女の物語を知ると、とてもそうとは思えない。むしろ王女カサンドラは、神に与えられた力のために身を滅ぼした女性として有名である。

　カサンドラはギリシャの対岸、現在のトルコ西岸にあった都市国家トロイアの姫であった。太陽神にして予言の神であるアポロンが彼女を見そめて口説いたが、カサンドラは乗り気ではなく「予言の力を与えてくれるなら、愛を受け入れる」と返した。アポロンは約束どおり予言の力を与えたが、カサンドラは約束を破ってアポロンの愛を拒絶した。約束破りに怒ったアポロンは「彼女は真実の予言を行うが、誰もその予言を信じないだろう」と宣言した。

　こうしてカサンドラは、滅びの運命への第一歩を踏み出したのだ。

トロイアの勝利を引き寄せられなかった予言者

　カサンドラは、トロイア王子パリスがギリシャの国スパルタらを訪問することに反対したが聞き入れられず、パリスを奪われたギリシャ方がトロイアに攻め込んできてしまった。ギリシャ方が中に兵士を満載した木製の巨大な馬「トロイの木馬」を放置して撤退したときは、木馬を城内に入れないよう主張したが意見は無視され、夜中に木馬から出てきたギリシャ兵によってトロイアは滅亡してしまった。カサンドラは神殿に逃げ込んでギリシャ兵による陵辱を逃れようとしたが、ギリシャ方の武将に捕らえられ、女神アテナの像に抱きついたまま犯されたという。

　その後、ギリシャ連合軍の大将であるアガメムノンに与えられた彼女は、アガメムノンに対して「故国に帰れば名誉を失い、殺される」と予言したが、これを無視したアガメムノンは、帰国後に妻のクリュタイムネストラに暗殺され、カサンドラも彼女に殺されてしまった。神との約束を破った彼女は、一生分の不幸でその罪をつぐなうことになったのである。

> 幸運の女神テュケ様に見放されたみたいな破滅ぶりですね……。
> やっぱりギリシャで神様に歯向かった人たちは、ろくな目に会いませんわね。無礼をはたらかないように気をつけなくちゃ。

ペンテシレイア
原典:『イリアス』『ヘラクレス神話』など

ペンテシレイアさんは、185ページで紹介したヒッポリュテさんと同じ、女戦士の種族アマゾネスの女王様だそうです。しかもすごい美人ですし、アマゾネスだから戦いに強いのは言わずもがなで……こんなにすごい女性だと、パートナーの男性も相当すごい人じゃないとつりあわないですね？

　ペンテシレイアはアマゾネスの女王で、軍神アレスの娘である。アマゾネスたちはトロイア戦争においてトロイア方に加わって戦ったが、彼女はギリシャ方の英雄アキレウスと戦い、ここで悲劇的なラブロマンスが発生している。

　劣勢となった味方を支えて必死で戦っていたアキレウスだが、敵方の大将ペンテシレイアと戦ううちに、その美しさに気づいて心を奪われてしまう。アキレウスの矛先が鈍って戦いは長引いたが、ペンテシレイアの激しい攻撃にさすがの彼も危機に追い込まれ、彼女を殺さずに戦いを終えることはできなかった。アキレウスは、自分の槍に倒れた彼女の遺体を抱き上げ、戦いの無情に涙したという。

ペネロペ
原典:『オデュッセイア』など

夫が戦争に行って20年たちました……あなたならどうしますか？　普通ならほかの素敵な男性を見つけて再婚しちゃいますわよね。でもオデュッセウスさんの奥様、ペネロペさんは、それでも旦那さんの帰りを待ち続けた女性のかがみです。男性にとって理想の奥さんなんじゃないですか？

　戦争で死んだと聞かされた夫オデュッセイアの帰りを待ち続けた女性。

　彼女は王国の統治者として、周囲の有力者に再婚を強く勧められるが、その求婚を拒絶するため「女神アルテミスに祭壇を飾る布を織る誓いを立てているので、織り上がるまで誰とも結婚しない」と言っていた。彼女は夫を待ちながら織り機を動かす方、夜になるとその日織った糸をほどき、布が完成しないようにした。

　しかしこのごまかしも露見し、次は「王宮にある夫の弓を引けた者と結婚する」と言い時間を稼ぐ。最終的にこの弓は、みすぼらしい姿で帰国したオデュッセウス自身によって引かれ、ふたりはふたたび夫婦に戻ることができたという。

ナウシカア

原典:『オデュッセイア』

日本人なら『風の谷のナウシカ』は知っていますよね〜？ 風の谷という国のお姫様であるナウシカちゃんが、汚れてしまった世界を元に戻すためにがんばるお話です〜。この映画は、監督の宮崎駿さんが、ギリシャ神話に登場する「ナウシカア」という女性の物語に感動して作ったものだそうですよ〜。

　『オデュッセイア』の主人公オデュッセウスは、海神ポセイドンの怒りに触れ、ある島に素っ裸で流れ着く。オデュッセウスの後援者である女神アテナは、ナウシカアの夢を操って、普段屋敷から出ることがないナウシカアが外に出るよう仕向ける。彼女はそこで流れ着いたオデュッセウスと出会ったのだ。

　ナウシカアは裸の男性にも臆することなく介抱し、オデュッセウスの身の上を聞くうちに、この人のような男性の妻になりたいと願うようになった。しかし故郷に残した妻への愛情を知った彼女は、いさぎよく身を引き「私のことを忘れないでほしい」とオデュッセウスにお願いをして、彼の帰郷を見送ったという。

ガラテイア

原典:『変身物語』

このガラテイアって子は、どうやら私の仲間みたいですわ！彼女は普通の人間ではなくて、人間の男性が作った石像に、神様が命を吹き込んだ存在ですの。石造なのに動けるしお話できるし、触れると柔らかいなんてすばらしいわ。やっぱり神様の力は偉大ですわね！

　ガラテイアの恋人は、アプロディテ信仰が盛んな島「キプロス島」の王ピュグマリオンである。彼は現実世界の女性に失望しており、自分で彫り上げた理想の美女像に恋をし、美貌で知られたニンフ「ガラテイア」の名前を与えた。

　その傾倒ぶりは、裸婦像だったガラテイアが服を着ていないのが恥ずかしかろうと服を彫り込んだり、毎日彼女のために食事を用意し、話しかけるなど、人間の恋人にするものとまったくかわりがなかった。やがてピュグマリオンは、ガラテイアの像のそばからまったく離れなくなり、衰弱していった。これを見かねたアプロディテは、ガラテイアの像に命を与えてピュグマリオンの妻にしたのである。

アラクネ
原典:『変身物語』など

人間が神様よりすぐれていると自称することは、とっても失礼なことだってのは、今までも説明してきましたよねえ～。だいたいの場合、人間のほうが実力をわきまえずに大げさな自慢をしてるだけですけど、なかにはホントに神様よりもすごい技術を持ってる人間もいるんですよ～！

　アラクネは機織りの名人で、「自分の腕前は技術の女神アテナをも越える」と自称する、とてつもない自信家でもあった。当然このような傲慢を神が見逃すはずもなく、アテナは自分の名誉をかけてアラクネと織物対決をすることになった。

　アラクネの織物の出来映えは、なんとアテナを上回るものだった。しかも絵柄のテーマが、アテナの父ゼウスの浮気ぶりを嘲笑するものだった。アテナが二重に激怒してアラクネの織物を破り捨てると、自分の愚行に気づいたアラクネは羞恥のあまり自殺してしまった。アテナは彼女の遺体を蜘蛛（くも）に変えたというが、それが彼女の死を哀れんでのことか、死してなお罰を与える呪いなのかは定かでない。

プシュケ
原典:『変身物語』

このプシュケさんは、ギリシャ神話ではなくローマでつくられた神話に出てくる女性なんだそうです。人間の女性が星座になったり、男性の英雄が死後に神になることはたまにありますけど、プシュケさんは人間の女性が神になった人で、これはとてもめずらしいケースなんだそうです。

　ウェヌス（アプロディテ）の嫉妬のせいで独身だった美女プシュケは、西風ゼピュロスによって場所も不明な宮殿に運ばれ、そこで正体不明の夫と結婚する。

　プシュケが誘惑にかられて夫の顔を確認すると、その正体は愛の神クピド（ギリシャ神話のエロス）だった。驚いた彼女はロウソクを落としクピドに火傷を負わせてしまい、クピドは逃げだし、プシュケはウェヌスによって永遠に眠る罰を受ける。やがて、逃げたことを後悔したクピドは、最高神ユピテル（ゼウス）に頼み、眠るプシュケに神酒ネクタルを飲ませて神に変えた。クピドは母ウェヌスを説得して、女神となったプシュケをあらためて妻にしたという。

女神の極意、ここにきわまる!

それではこれで、私からの授業は終了です～。
いろんな女神様、人間の女性、そして男性たちを見てきましたね～。
ひととおり見てみて、どう思いましたか～?

なんかいろいろ悟ってしまいましたわ……。
男性にもてるだけでは、素敵な女神になるには不足なんですのね。
なんというか、無駄に大きすぎるくらいの包容力が必要というか……。

パンドラさんのおっしゃるとおりです。
それから、ギリシャの殿方は、思ったより不誠実な人ばかりで……。
あんな人たちとハデス様を比べてしまって申し訳ないです、謝りませんと。

そうですね～。ヘパイストスパパもハデス様も、どちらもおふたりを大事に思っている
ことは間違いありませんからね♪
あら、うわさをすればいらっしゃったようですよ～?

うわぁぁ! すまなかったパンドラぁぁぁぁぁっ!
言い訳になってしまうがこれを見てくれっ。お前を幻滅させた写真集なのだが……。

あら? これがハデス様ご執心のグラビアアイドルさん?
プロセルピナちゃんっていうんですか……。
まぁ!? このアイドルさんったらペルセポネちゃんそっくり!

実は……私たち夫婦は1年間に4ヶ月しか一緒に暮らすことができないのだが。
会えない8ヶ月を寂しく思っていたら、ペルセポネそっくりのアイドルを見つけて……。
ペルセポネ、まるでお前が隣にいるように思えてな……すまない。

そうだったのですか……私、とっても愛されていたのですね。
さみしくさせて申し訳ありませんハデス様。
これからいっしょに過ごす4ヶ月、きっとすてきなものにしましょうね!

おおっ! ペルセポネっ!

でもグラビアは没収です♪
かわりにわたしの写真をどうぞ♪

しばらくたったあと……

- おふたりは行ってしまわれたようですね～
  あら、あちらから来るのは……ヘパイストスさん。
  パンドラちゃんのお父さんもいらっしゃったみたいですよ～。

- お父様！　どうしてここに!?

- パンドラ、すまん、今は反省している。
  お前のために書かれた手紙を破り捨てるのは、やりすぎだった。
  おまえのことを大事にしすぎるのも考えものなのだな……。

- いえ、今回メティス先生に教わってよくわかりましたの。
  お父様がどうして、わたくしが男性と遊ぶのを禁止するのか……。
  これからは勝手に家を出て、心配させるようなことは慎みたいと思います。

- おお、パンドラ！　わかってくれたか！
  ……ならばわしも、お前をただかわいがるだけでなく
  お前を信頼する父親にならねばならんなっ！

- ふふ♪　お父様にできるかしら♥

- あらあら～どっちも丸くおさまったみたいですね～
  なんだか私も、ひさしぶりにゼウス様といちゃいちゃ♪　したくなっちゃいました♥
  そうと決まれば早速帰宅ですね～！　エンジン始動～っ！

萌える！ギリシャ神話の女神事典　これにておしまい！

イラストレーター紹介

ギリシャ神話の女神たちを素敵なイラストにしてくださいました、43人のイラストレーターの皆様をご紹介します。
皆様に芸術の女神ムサさんたちの加護がありますように！

藤ます
●表紙

今回の表紙にはアプロディテ（アフロディーテ）さんを描かせていただきました。アプロディーテというと藤ますは某少年漫画の金色の人が思い浮かびますが、神話のアプロディーテさんはどうもビッチ臭だよう自由奔放な方だったようで…神々しくも色気たっぷりにしてみましたが如何でしょうか〜…!!

VAGRANT
http://momoge.net/v/

C-SHOW
●巻頭・巻末コミック
●案内キャラクター
●カラーカット

今回はコミックとナビキャラに加えて、神様のディフォルメイラストをたくさん描かせていただきました。数が多くてたいへんでしたが、なんとか締め切りに間に合った……のでしょうか（ドキドキ）。そういえば以前描かせていただいたパンドラさんとメティスさんが再登場してますが、ふたりともギリシャの人だったんですね！

おたべや
http://www.otabeya.com/

皐月メイ
●扉ページカット

今回は扉絵カット数点を描かせていただきました。中でもニュクスさんがお気に入です。ニュクスさんは夜の女神様で夜になるのは彼女が半日かけて天空を移動しているからだそうです。彼女は暗いイメージだったのですが、たった半日で地球を半周していることを考えると非常にアグレッシブなのではと思えてきました。

PIXIVページ
http://www.pixiv.net/member.php?id=381843

湖湘七巳
●カラーカット
●モノクロカット

この度カットイラストを描かせていただきました、湖湘七巳と申します。最初は、あまり知識ないよーと思っていても、ギリシャ神話を調べていくと誰もが知っている言葉やブランドの元ネタがでてきますよね。
「これ聞いた事がある!」ってなると気楽さが増して、一気に面白く読めます。ギリシャ神話、好きです。

極楽浄土彼岸へ遥こそ
http://homepage3.nifty.com/shichimi/

はんぺん
- ヘラ(p23)
- ブレイオネ(p141)

ヘラを担当させていただきましたはんぺんです。
神々の女王なのに実の弟ゼウスと結婚するなんて、けしからんおばさ…
おや、誰かきたようです(;´・ω・)

PUUのほむぺ〜じ
http://puus.sakura.ne.jp/

アカバネ
- アテナ(p29)

はじめまして、アカバネと申します。
ギリシャ神話の中でも有名なアテナを描かせていただきました。
解説も含めてイラストを楽しんでいただければと思います!

zebrasmise
http://akabanetaitographics.blog117.fc2.com/

天領セナ
- デメテル&ペルセポネ(p39)
- ディオネ(p117)

はじめまして! 天領セナと申します! 今回はなんと3人も描かせて頂きました。特にペルセポネとデメテルの物語は大好きなのでとても嬉しく思います♪ ギリシャ神話は個性豊で魅力的なキャラが多いのでワクワクしてしまいますね＾＊＾ 個人的にはアドニスが大好きです。本当にありがとうございましたー!

Rosy lily
http://www.lilium1029.com/

月上クロニカ
- ヘスティア(p41)

女神OFガッデス! ヘスティアちゃんを担当させていただきました月上クロニカです。
ギリシャ神話の女神さんとは思えない優しさ! ヘスティアちゃんマジ女神! 小さいのにお姉さん! そして、かまどを司る家庭的な神! これはもう『ロリおかん』しかないな! と思い描いてみました。

CheapHeartArk
http://chepark.blog.fc2.com/

加藤いつわ
- アプロディテ(p45)

獣耳とか角など好物です。

ILLUSTRATION STORAGE
http://ituwa-kato.tumblr.com/

繭咲悠
- ヘベ(p55)
- ムサ(p65)

初めまして、「ヘベ」と「ムサ」を担当いたしました、繭咲悠と申します。ヘベは神々の宴会の給仕役、現代だとウエイトレスさんに近いのかな。そして、どじっ子属性です! ムーサは文芸を司る女神たち、複数人いるということで賑やかで可愛い口いっ子達を想像しながら描きました。おへそ!

Calicocat
http://www.pixiv.net/member.php?id=1358559

199

きゃっとべる
●アストライア (p57)

アストライアを担当させて頂きましたきゃっとべるです。
沢山の人が幸せになってもらいたいと思うアストライアの願いを込めて絵を描かせて頂きました。
アストライアを描かせて頂きありがとうございました!

HAPPY CLOVER
http://nekomiko.com/

ぎヴちょこ
●パラス(p71)

はじめまして、ぎヴちょこと申します。今回ギリシャ神話の女神パラスを担当させていただきましたが描いてて楽しい女神だったので参加してよかったなあと思いました。歪なイラストではございますが皆様の目に止まっていただければ幸いです。

難民ふぇすてぃばる
http://gibuchoko.web.fc2.com/

木村樹崇 (きむらしげたか)
●ヒュギエイア (p73)

今回描かせて頂いたヒュギエイアという女神は健康を司るということで、健康と快活、でも女神ということで少し凛とした感じ‥な女の子のイメージで描かせて頂きました。
ギリシャ神話は結構好きだったのであれこれ考えるのがたのしかったです。

Digi-force
http://digi-force.net/

U35 (うみこ)
●パンドラ&エルピス(p75)

パンドラ&エルピスを描かせていただきました。
パンドラは少しおちゃめなかわいい性格に見えてもらえたら嬉しいです。

amaon
http://amaon.blog.fc2.com/

斎創 (イツキハジメ)
●ハルモニア (p77)

ハルモニアを担当させて頂きました。
清楚な色気なお姉さんを目指しました!
おっぱいは正義⌒(ё)⌒

PIXIV ページ
http://pixiv.me/51039ra3

あみみ
●ヘルマプロディトス (p81)
●エリス&デュスノミア&アテ(p97)

ヘルマプロディトスの「男性でもあり女性でもある」点がたくさんの芸術家に影響を与えたという所に、人類は昔からずっと萌えに突き動かされていたんだなあとしみじみしてしまいました。
楽しく描けました!

えむでん
http://mden.sakura.ne.jp/mden/

hou
●ニュクス(p89)

ニュクスを担当させて頂きました。
影のある女性、だけど多くの子供を持つ偉大な母のイメージを詰め込みました。ちょっとダークで儚げな印象が伝わるといいなぁと思います。

ppo
http://ho0.pya.jp/ppo/

れんた
●ヘメラ(p91)

「ヘメラ」のイラストを担当させて頂きました、れんたと申します。
昼の神様という事で、明るい感じにしてみました。
たまに陽の光が辛い時があるので女神様が優しく照らしてくれるといいなぁと思いつつ…。
皆様に気に入って頂けると幸いです。

既視感
http://detectiver.com/

風花風花 (かざばなふうか)
●ネメシス(p93)

ネメシスを担当させていただきました。風花風花です。女神のモチーフがとても好きでしたので、デザインを考えるところからとても楽しく描かせていただきました。裁く権利を与えられてるってどんな気持ちなんだろうなどと考えながら描いてました。少しでも気に入っていただけたなら幸いです。

風雪嵐花
http://www.kazabanahuuka.info/

eigetu (えいげつ)
●ピロテス&アパテ (p95)

はじめまして、eigetuと申します。
今回、女神のピロテス&アパテを描かせて戴きました。
トーガについて悩みましたが楽しく描けたと思います。

PIXIV ページ
http://www.pixiv.net/member.php?id=2247

鈴根らい (すずね)
●ペニア(p101)

初めまして、鈴根らいです♪ 貧困を司る女神、ペニアを描かせていただきました〜。神話を読んで思ったのですが…この神様、結構卑猥だよね…!!
そんなこんなでこの絵が出来上がりました♪
布が足りない貧はっちゃまスタイルで。

鈴根らい地下室
http://green.ribbon.to/~raisuzune/

リリスラウダ
●レア(p105)

いろいろと資料を見ていると外見、ストーリーなどとても作られていて昔の人の想像を形にできるかってすごいなと感心いたしました。
私もそんな人たちに負けじと描かせていただきました。

リリスラウダ研究所
http://llauda.sakura.ne.jp/

湯浅彬(ゆあさあきら)
●テミス(p107)

初めまして！テミスを担当させて頂きました、湯浅彬と申します。剣の文字は、左側が「秩序」右側が「正義」で、ギリシャ語を元にフェイクを入れつつ描きました。最初はビシッと決めている絵にしようと思っていたのですが、秩序を司る女性こそ押し倒したくなりませんか…!?　なった結果がこちらです。

さく.COM
http://oryzivora.net/

まるえ
●メティス(p109)

はじめまして、メティスを担当させていただいたまるえと申します。メティスは知的ですが妖艶な女性にしたく、イメージを膨らませて描くのが とても楽しかったです。沢山の素敵な女神様の中で、その一人を描かせていただけて大変光栄でした。またどこかでお目にかかれたら幸いです。

PIXIV ページ
http://www.pixiv.net/member.php?id=4471

れいあきら
●ポイベ(p115)

はじめまして。れいあきらと申します。
ファンタジー系のイラスト大好きなので楽しんで描かせていただきました。
豊満なボディでおっとりとしたキャラを意識してデザインしました。よろしくお願い致します。

Ray of Light
http://blog.livedoor.jp/ray_akila/

まさる.jp(ドットジェイピー)
●テュケ(p123)

テュケーは運命の女神ということで「運命の輪を見守っている」イメージで描きました。思い返してみれば「女神」を描くことが初めてで、とてもイメージを膨らませるのが楽しかったです。神秘的な雰囲気が出るように色合いもファンタジーを意識しています。ポイントはふっくらとしてふとももです。

マサルドットコム
http://masarudottocom.but.jp/

林檎(りんご)ゆゆ
●ニケ(p125)

ニケのイラストを担当いたしました、林檎ゆゆです。
勝利の女神様なので、見ていただいた方に元気になってもらえるようイメージして描きました。金髪ツリ目は王道カワイイですね！

Milky
http://ringouu.blog.fc2.com/

ケぃ
●イリス(p127)

虹の女神イリスを担当させて頂きました。
制作にあたり自分でもいろいろ調べてみて、ギリシャ神話の神様は人間関係（神様関係？）がかなりどろどろしてるのを知りました（笑）
己の内の小さい宇宙を燃やす系の知識しかなかったので勉強になりました◎

PIXIV ページ
http://www.pixiv.net/member.php?id=1603599

如月瑞（きさらぎみず）
●セレネ(p129)

はじめまして。如月瑞と申します。
神話に女神と、好みなものが合わさった内容でしたので楽しく描かせて頂きました。ありがとうございます(*^∨^*)

ROYAL CROWN
http://k-m.sakura.ne.jp/

ふゆ餅（もち）
●エオス(p131)

エオスを担当させていただきましたふゆ餅です。
明け方の空〜、明け方〜、明け方〜と念じながら描きました。ちゃんと明け方っぽくなっているでしょうか(・ω・) とても楽しかったです。

ancorocco
http://xsaltx.moo.jp/

キヨイチ
●アムピトリテ(p133)

改めましてこの度はご相談頂きまして誠にありがとうございました。
冊子へのイラスト掲載という、このような貴重な機会を設けて下さって大変有難いです。
また何かイラスト関連でお力になれる事がございましたらばご相談頂けましたらば幸いです。

アカシア相境界
http://acacia.amearare.com/

ジョンディー
●ヘカテ(p143)

今回は魔術の神様ということで
魔法のエフェクトを特に頑張りました。

画面をキラキラさせたりするのが好きなのでとても楽しく描かせていただきました。

PIXIV ページ
http://www.pixiv.net/member.php?=1686747

萌える！ギリシャ神話の女神辞典 staff

著者	TEAS事務所
監修	寺田とものり
テキスト	岩田和義(TEAS事務所)
	林マッカーサーズ(TEAS事務所)
	朱鷺田祐介(スザク・ゲームズ)
	桂令夫
	牧山昌弘
	内田保孝
	中本匡洋
	村岡修子
	北条三蔵
	鷹海和秀
協力	當山寛人
本文デザイン	神田美智子
カバーデザイン	筑城理江子

ねえねえ
ペルセポネちゃん、ご存じ？
この本を書いた
「TEAS事務所」という人たちは、
書籍の編集や執筆をお仕事にしている方々なんですって！

まあ、そうなんですか。
私もいま「ホームページ」と「ツイッター」を見つけたところなのです。
せっかくですから一緒に見に行ってみましょう♪
http://www.otabeya.com/
http://twitter.com/studioTEAS

薄切りベーコン
- アルテミス(p33)

PIXIVページ
http://www.pixiv.net/member.php?id=24023

しかげなぎ
- カラーカット
- モノクロカット

SUGAR CUBE DOLL
http://www2u.biglobe.ne.jp/~nagi-s/

いちやん
- モイラ(p53)

PIXIVページ
http://hi-na.sakura.ne.jp/

ぱるたる
- カリス(p59)

R-pll
http://rpll.ninja-web.net/

奈津ナツナ
- ホラ(p67)

727番地
http://727bannti.web.fc2.com/

PikoMint
- クロリス(p79)

Roti . Susu
http://rotisusu.blog.fc2.com/

けいじえい
- ガイア(p87)

PIXIVページ
http://www.pixiv.net/member.php?id=5021528

トマリ
- エリニュス(p111)

PIXIVページ
http://www.pixiv.net/member.php?id=2088434

asanuma
- テテュス(p119)

PIXIVページ
http://www.pixiv.net/member.php?id=91146

しまちよ
- ステュクス(p121)

Shioshio.
http://solt.flop.jp/

みちた
- レト(p135)

Masquerad
http://masqueradeball.blog68.fc2.com/

主要参考資料

◆原典資料
『イリアス』ホメーロス 著／呉茂一 訳（グーテンベルグ21）
『イリアス』ホメーロス 著／松平千秋 訳（岩波文庫）
『オデュッセイア』ホメーロス 著／松平千秋 訳（岩波文庫）
『ホメーロスの諸神讃歌』沓掛良彦 訳註（平凡社）
『神統記』ヘシオドス 著／廣川洋一 訳（岩波文庫）
『ヘーシオドス 仕事と日』ヘーシオドス 著／松平千秋 訳（岩波文庫）
『プラトン全集〈7〉テアゲス カルミデス ラケス リュシス』プラトン 著／生島幹三、北嶋美雪、山野耕治 訳（岩波書店）
『国家』プラトン 著／藤沢令夫 訳（岩波文庫）
『歴史』ヘロドトス 著／松平千秋 訳（岩波文庫）
『アルゴナウティカ―アルゴ船物語』アポロニオス 著／岡道男 訳（講談社文芸文庫）
『蛙』アリストパネース（岩波文庫）
『アエネーイス』ウェルギリウス 著／田中秀央、木村満三 訳（岩波文庫）
『キケロー選書11』キケロー 著／山下太郎、五之治昌比呂 訳（岩波書店）
『アポロドーロス ギリシア神話』高津春繁 訳（岩波文庫）
『転身物語』オウィディウス 著／田中秀央、前田敬作 訳（人文書院）
『神曲』ダンテ 著／平川祐弘 訳（河出文庫）

◆研究書、辞典など
『A dictionary of Greek and Roman biography and mythology』William George Smith 著（Rarebooksclub.com）
『Dictionary of Nature Myths』Tamra Andrews 著（Oxford University Press）
『Mortals and Immortals』Jean-Pierre Vernant 著（Princeton University Press）
『赤毛のアン』ルーシー・モード・モンゴメリ 著／村岡花子 訳（新潮文庫）
『ヴィジュアル版 世界の神話百科 ギリシア・ローマ／ケルト／北欧』アーサー・コットレル 著／松村一男、米原まり子 訳（原書房）
『ヴィジュアル版 ラルース 世界の神々・神話百科』フェルナン・コント 著／蔵持不三也 訳（原書房）
『お気に召すまま』ウイリアム・シェイクスピア 著／福田恆存 訳（新潮文庫）
『ギリシア・ローマの神々―古代の神と王の小事典』リチャード・ウォフ 著／細井敦子 訳（學藝書林）
『ギリシア・ローマの神話』吉田敦彦 著（筑摩書房）
『ギリシア・ローマ神話事典』マイケル グラント ジョン・ヘイゼル 著／西田実 主幹（大修館書店）
『ギリシア・ローマ神話辞典』高津春繁 著（岩波書店）
『ギリシア・ローマ神話―付インド・北欧神話』トマス・ブルフィンチ 著／野上弥生子 訳（岩波文庫）
『ギリシア神話』アポロドーロス 著／高津春繁 訳（岩波文庫）
『ギリシア神話』R.グレーヴス 著／高杉一郎 訳（紀伊國屋書店）
『ギリシア神話』呉茂一 著（新潮文庫）
『ギリシア神話』高津春繁 著（岩波新書）
『ギリシア神話』ノェリッシュ・ギラン 著／中島健 訳（青土社）
『ギリシア神話』アポロドーロス／アポロドーロス 著／高津春繁 訳
『ギリシア神話小事典』バーナード・エヴスリン 著／小林稔 訳（社会思想社）
『ギリシア神話の悪女たち』三枝和子 著（集英社新書）
『ギリシア神話の世界観』藤縄謙三 著（新潮選書）
『ギリシアの英雄たち』曽野綾子 田名部昭 著（講談社）
『ギリシアの神話 英雄の時代』カール・ケレーニイ 著／高橋英夫、植田兼義 訳（中央公論社）
『ギリシアの神話 神々の時代』カール・ケレーニイ 著／高橋英夫 訳（中央公論社）
『ギリシアの神々』曽野綾子 田名部昭 著（講談社）
『ギリシアの神話 神々の時代』カール・ケレーニィ 著／植田兼義 訳（中公文庫）
『ギリシア・ローマ神話事典』マイケル・グラント、ジョン・ヘイゼル 著／西田実、入江和生、木宮直仁、中道子、丹羽隆子 訳（大修館書店）
『ギリシア・ローマ神話人物記 絵画と家系図で描く100人の物語』マルコム・デイ 著／山崎正浩 訳（創元社）
『ギリシア神話物語事典』バーナード・エヴスリン 著／小林稔 訳（原書房）
『ギリシア人の愛と死』曽野綾子 田名部昭 著（講談社）
『ギリシア人の性と幻想』吉田敦彦 著（青土社）
『ギリシャ語辞典』古川晴風 編著（大学書林）
『ギリシャ神話』ヒュギーヌス 著／松田治、青山照男 訳（講談社学術文庫）
『ギリシャ神話 新版』ジェームス・ボールドイン 著／杉谷代水 訳（富山房企畫）
『クラウン仏和辞典』（三省堂書店）
『古代の神と王の小事典1 ギリシア・ローマの神々』リチャード・ウォフ 著／細井敦子 訳（学芸書林）
『古代の神と王の小事典4 ギリシアの英雄たち』リチャード・ウォフ 著／細井敦子 訳（学芸書林）
『コンサイス露和辞典』（三省堂書店）
『新装版 ギリシア神話』呉茂一 著（新潮社）
『図説ギリシア神話【世界の神々】篇』松島道也 著（河出書房新社）
『図説ギリシア・ローマ神話文化事典』ルネ・マルタン 監修／松村一男 訳（原書房）
『星座の神話』原恵 著（恒星社厚生閣）
『世界古典文学全集8 アイスキュロス・ソポクレス』アイスキュロス、ソポクレス 著／高津春繁 訳（筑摩書房）
『世界神話事典』大林太良、伊藤清司、吉田敦彦、松村一男 編（角川選書）
『世界の神話伝説 総解説』（自由国民社）
『世界の神話百科 ギリシア・ローマ／ケルト／北欧』アーサー・コットレル 著／松村一男、蔵持不三也、米原まり子 訳（原書房）
『筑摩世界文学大系2 ホメーロス』呉茂一、高津春繁 訳（筑摩書房）
『知の探求シリーズ 世界の神話がわかる』（日本文芸社）
『ビジュアル版 ギリシア神話物語』楠見千鶴子 著（講談社）
『ヘシオドス研究序説』廣川洋一 著（未来社）
『星の神話・伝説図鑑』藤井旭 著（ポプラ社）
『魔女はなぜ空を飛ぶか』大和岩雄 著（大和書房）
『四つのギリシヤ神話 「ホメーロス讃歌」より』逸身喜一郎、片山英男 訳（岩波文庫）
『ランダムハウス英和辞典』（小学館）
『ローマ神話』スチュアート・ペローン 著／中島健 訳（青土社）

●p180 紹介作品、素材協力
『美しい星座絵でたどる 四季の星座神話』沼澤茂美、脇屋奈々代 著（誠文堂新光社）
『ギリシア神話を知っていますか』阿刀田高 著（新潮文庫）
『タイタンの戦い』（ワーナー・エンターテイメントジャパン）

■索引

項目	分類	ページ
アイギナ	ニンフ	152
アイグレ	ニンフ	157
アイテル	男神(原初)	88,90,94,136,148,168
アウクノ(カリス,ムサ)	ニンフ	60,66
アエロ	女性型モンスター	158
アカントス	ニンフ	152
アキレウス	英雄	25,51,120,148,156,193
アグライア	女神(オリュンポス)	60
アシア	女神(ティタン)	146,147
アスクレピオス	男神(オリュンポス)	72,136
アステリア	女神(ティタン)	134,146
アストライア	女神(オリュンポス)	56
アタランテ	神話の女性	188,189
アテ	女神(原初)	96,98
アテナ	女神(オリュンポス十二神)	17,21,28,30,32,43,44,69,70,74,76,92,96,98,104,108,112,124,136,154,155,157,172,176,192,194,195
アドニス	神話の人物	25
アトラス	男神(ティタン)	136,138,146,155,157
アドラステイア	ニンフ	152
アトロポス	女神(原初)	50
アパテ	女神(原初)	94,96
アプロディテ	女神(オリュンポス十二神)	17,20,21,25,43,44,46,51,58,60,69,74,76,80,84,96,98,100,116,118,130,148,155,176,188,191,194,195
アポロン	男神(オリュンポス十二神)	21,32,34,35,40,63,72,85,106,112,114,134,136,144,146,148,152,154,155,156,176,192
アマルテイア	ニンフ	152,153
アムピトリテ	女神(ティタン)	132,137,148
アラクネ	神話の女性	92,195
アリアドネ	神話の女性	188
アルキュオネ	ニンフ	138
アルクメネ	神話の女性	24,137
アルタイア	神話の女性	189
アルテミス	女神(オリュンポス十二神)	17,21,32,34,35,44,78,104,112,114,116,128,134,136,142,144,146,149,153,155,176,188,189
アレクト	女神(オリュンポス)	112
アレス	男神(オリュンポス十二神)	21,43,46,54,76,96,100,130,134,138,147,155,176,185,193
アレトゥサ	ニンフ	153
アンドロメダ	神話の女性	183
イデ	ニンフ	152
「イリアス」	文献・物語	44,49,51,60,68,96,116,130,144,148,178,179,180
イリス	女神(オリュンポス)	61,120,126
ウェルギリウス	詩人	51,110
ウラニア	女神(オリュンポス)	62
ウラノス	男神(原初)	15,16,44,62,83,84,85,103,104,106,110,118,136,137,148,166,168,169,170,171,177
エイレイテュイア	女神(オリュンポス)	24,134,147
エイレネ	女神(オリュンポス)	68
エウテルペ	女神(オリュンポス)	62
エウノミア	女神(オリュンポス)	68
エウプロシュネ	女神(オリュンポス)	60
エウリュアレ	女性型モンスター	158
エウリュディケ	ニンフ	153
エウリュノメ	女神(ティタン)	136,137
エウロス	男神(ティタン)	137
エウロペ	神話の女性	187
エオス	女神(ティタン)	90,128,130,137,148
エキドナ	女性型モンスター	147,158
エコ	ニンフ	153,154
エピメテウス	男神(ティタン)	74,146
エラト	女神(オリュンポス)	62
エリス	女神(原初)	43,94,96,98,150,157
エリニュス	女神(タイタン)	84,85,110,112
エリュティア	ニンフ	157
エルピス	女神(オリュンポス)	74
エレクトラ	ニンフ	138,139
エレボス	男神(原初)	88,90,96,136,148,157,168
エロス	男神(オリュンポス)	84,88,100,124,136,156,168,177,195
エンデュミオン	神話の人物	128
オイノネ	ニンフ	154
オキュペテ	女性型モンスター	158
オケアノス	男神(ティタン)	22,108,116,118,120,132,136,138,146,147,148,149,157,170,177
オデュッセウス	英雄	70,150,155,186,193,194
オピオン	男神(ティタン)	136,147
オリオン	神話の人物	32,138,139
オルトス	その他モンスター	158
オルペウス	神話の人物	153
ガイア	女神(原初)	14,15,16,28,62,83,84,85,88,103,104,106,108,110,114,116,118,136,137,147,148,154,157,166〜172,177,190
カオス	男神(原初)	14,15,16,84,88,90,100,136,166,168
カサンドラ	神話の女性	35,192
カシオペイア	神話の女性	183
カスタリア	ニンフ	154
ガニュメデス	神話の人物	54,147
ガラテイア(石像)	神話の女性	194
ガラテイア(ニンフ)	ニンフ	154
カリオペ	女神(オリュンポス)	62
カリクロ	ニンフ	154,155
カリス	女神(オリュンポス)	58,60,76,147
カリュプソ	ニンフ	155
カリロエ	女神(ティタン)	147
カルポス	男神(オリュンポス)	78
「カルミデス」	文献・物語	114
カレ	女神(オリュンポス)	60
カロン	男神	136,137,150,153
ギガス	その他モンスター	84,85,167,171,177
キマイラ	その他モンスター	147,158
キュクロプス	その他モンスター	84,85,137,154,167,170,171,177
キュレネ	ニンフ	155,157
キルケ	神話の女性	149,156,186
グライアイ	女性型モンスター	147
クリュティエ	ニンフ	155
クレイオ	女神(オリュンポス)	62
クレウサ	ニンフ	155
クロト	女神(オリュンポス)	50
クロノス	男神(ティタン)	15,16,22,40,44,49,84,85,103,104,108,110,116,118,120,134,136,137,147,148,149,152,166,167,169,170,172,173,174,177
クロリス(フロラ)	女神(オリュンポス)	78
ケイロン	神話の人物	136,137,149,154
ケト	女神(原初)	147
ケトス	その他モンスター	183
ケライノ	ニンフ	138
ケライノ	女性型モンスター	158
ケル	女神(原初)	148
ケルベロス	その他モンスター	147,153,158
ゴルゴン	女性型モンスター	147,158
サルマキス		80
「仕事と日」	文献・物語	56,94,173,174
シベ	女神(詳細不明)	148
シュリンクス	ニンフ	155
「神曲」	文献・物語	63
「神統記」	文献・物語	34,50,51,60,62,63,68,94,110,148,172,178,179,180
スキュラ	ニンフ	132,156
ステュクス	女神(ティタン)	25,36,118,120,124,150,156,170

ステロペ	ニンフ	138
ステンノ	女性型モンスター	158
スピンクス(スフィンクス)	女性型モンスター	158
セイレン	女性型モンスター	63
ゼウス	男神(オリュンポス十二神)	12,15,16,17,19～32,35～37,40～54,60～62,68～72,85,88,96～100,103～110,113～120,124,128～139,144,146～150,152～158,160,161,163～177,184,187,190,191,195
ゼピュロス	男神(ティタン)	78,130,137,195
セメレ	神話の女性	99,150,187
セレネ	女神(ティタン)	34,128,130,142,148
ダナエ	神話の女性	184
ダプネ	ニンフ	35,156
タユゲテ	ニンフ	138
タラフサ	女神(原初)	148
タレイア(カリス)	女神(オリュンポス)	60
タレイア(ムサ)	女神(オリュンポス)	62
タロス	その他モンスター	187
ダンテ	詩人	63
テイア	女神(ティタン)	128,130,148
ディアネイラ	神話の女性	184
ディオニュソス	男神(オリュンポス十二神)	20,42,60,66,88,99,139,150,157,176,188
ディオネ	女神(ティタン)	44,116
ディケ	女神(オリュンポス)	68,106
ティシポネ	女神(オリュンポス)	112
「テオゴニス」	文献・物語	100
デスポイア	女神(オリュンポス)	36
テセウス	英雄	132,185,186,188,191
テティス	ニンフ	96,118,120,147,148,156,157
テテュス	女神(ティタン)	22,118,120,132,138,146～149,157,177
テミス	女神(ティタン)	22,50,56,68,106,114,148,177,190
デメテル	女神(オリュンポス十二神)	15,21,36,37,100,104,113,176
テュケ	女神(ティタン)	92,122,192
デュスノミア	女神(原初)	96,98
テュポン	その他モンスター	51,85,167,171
デルピュネ	女性型モンスター	158
テルプシコラ	女神(オリュンポス)	62
ドリス	女神(ティタン)	132,148,153
トリトン	男神(オリュンポス)	70,137
ナウシカア	神話の女性	194
ナルキッソス	神話の人物	154
ニケ	女神(オリュンポス)	30,124,149
ニュクス	女神(原初)	15,50,74,83,88～98,110,136,148,157,168
ネメシス	女神(原初)	92,96
ネレウス	男神(ティタン)	116,132,148,183
ノトス	男神(ティタン)	137
パエトゥサ	女神(原初)	150
パシパエ	神話の女性	149,186
ハデス	男神(オリュンポス)	36,37,89,104,113,142,150,153,176
パラス	女神(オリュンポス)	70
パリス	神話の人物	98,147,154,157,191,192
ハルピュイア	女性型モンスター	158
ハルモニア	女神(オリュンポス)	62,76,150
パン	男神(オリュンポス?)	137,154,155
パンドラ	女神(オリュンポス)	68,74,94,175
ピア	女神(ティタン)	124,149
ヒッポリュテ	神話の女性	103,193
ヒュアス(ヒュアデス)	ニンフ	139,157
ヒュギエイア	女神(オリュンポス)	72
ピュトネ	その他モンスター	137,158
ヒュプノス	男神(原初)	60,88
ヒュペリオン	男神(ティタン)	128,130
ピュラ	神話の女性	175,190
ピリュラ	女神(ティタン)	149
ピロテス	女神(原初)	94,96
プサマテ	ニンフ	157
プシュケ	神話の女性	195
プトマルティス	女神(オリュンポス)	149
プレイオネ	女神(ティタン)	138,139
ヘカテ	女神(ティタン)	128,132,142,144,146,190
ヘカトンケイル	その他モンスター	84,85,167,170,171,177
ヘシオドス	詩人	50,51,56,60,62,68,84,94,98,108,110,144,147,148,173,178,179
ヘスティア	女神(オリュンポス十二神)	21,32,40,42,44,99,104,116,136,176
ヘスペリス(ヘスペリデス)	ニンフ	98,157
ヘスペレトゥサ	ニンフ	157
ペニア	女神(原初)	100
ペネロペ	神話の女性	193
ヘパイストス	男神(オリュンポス十二神)	21,32,46,60,69,74,76,147,175,176
ヘベ	女神(オリュンポス)	54
ヘメラ	女神(原初)	88,90,94,96,136,148,168
ヘラ	女神(オリュンポス十二神)	21,22,24,26,27,28,36,43,44,46,54,58,60,69,88,96,98,99,104,106,108,116,118,132,134,136,147,150,153,154,157,158,176,185,187
ヘラクレス	英雄	24,54,88,137,155,157,171,174,184,185
ヘリオス	男神(原初)	90,128,130,132,149,150,155,186
ペルセイス	女神(ティタン)	149,186
ペルセウス	英雄	30,147,183,184
ペルセポネ	女神(オリュンポス)	36,37,113,142,153,157,176
ヘルマプロディトス	男神／女神	80
ヘルメス	男神(オリュンポス十二神)	17,21,61,68,74,80,139,158
ペレウス	神話の人物	156,157
ヘレネ	神話の女性	154,191
ペンテシレイア	神話の女性	185,193
ポイベ	女神(ティタン)	85,114,134,146,177
ポセイドン	男神(オリュンポス十二神)	21,31,36,40,49,70,104,113,132,137,147,148,150,156,176,183,186,194
ボタルゲ	女性型モンスター	158
ホメロス	詩人	49,51,116,130,144,178,179
「ホメロス讃歌」	文献・物語	37,40
ホラ	女神(オリュンポス)	66,68,78,106,137
ポリュムニア	女神(オリュンポス)	62
ボレアス	男神(ティタン)	137
ポロス	男神(原初)	100
ポントス	男神(原初)	84,116,137,147,148,168
マイア	ニンフ	61,68,138,139
ミノタウロス	その他モンスター	149,186,188
ムサ	女神(オリュンポス)	62,63,154
メガイラ	女神(オリュンポス)	112
メデイア	神話の女性	190
メティス	女神(ティタン)	27,28,40,108,137
メドゥサ	女性型モンスター	30,147,158,183
メノビス	女神(ティタン)	150
メリッサ	ニンフ	152
メルポメネ	女神(オリュンポス)	62
メロペ	ニンフ	138,139
メンテ	ニンフ	157
モイラ	女神(オリュンポス)	50,51,88,92,189
ラケシス	女神(オリュンポス)	50
ラミア	女性型モンスター	158
ランペティエ	女神(原初)	150
レア	女神(ティタン)	16,17,85,100,101,137,148,149,167,169,170,177
レウコテア	女神(オリュンポス?)	150,155
レソニノノハ(人魚)	神話の女性	155
レダ	神話の女性	191
レテ	女神(原初)	98,150
レト	女神(ティタン)	35,78,116,134,146

萌える!ギリシャ神話の女神事典

2014年9月30日 初版発行

著者	TEAS事務所
発行人	松下大介
発行所	株式会社 ホビージャパン
	〒151-0053 東京都渋谷区代々木2-15-8
電話	03 (5304) 7602 (編集)
	03 (5304) 9112 (営業)
印刷所	大日本印刷株式会社

乱丁・落丁(本のページの順序の間違いや抜け落ち)は購入された店舗名を明記して当社パブリッシングサービス課までお送りください。
送料は当社負担でお取り替えいたします。
但し、古書店で購入したものについてはお取り替えできません。

禁無断転載・複製

©TEAS Jimusho 2014
Printed in Japan
ISBN978-4-7986-0887-7 C0076